JN055622

哲学の復興

――創造的社会論のための哲学序説――

上村　肇

実存主義は天才のための哲学であり、共産主義は英雄のための哲学である。
現代は、そしてこれからは絶えず消耗しながら乗り越えを行ってゆく、
平凡な一般市民の哲学が必要とされるのである。
市民はもともと怠惰ではないし、馬鹿ではない。
市民の精神構造に基礎を置いた哲学は、
決して人間を衰弱させたり、頽廃させることはない。

（市民のための哲学）

目次

表紙デザイン　井上凱彦

一、哲学復興

はじめに

　われわれは、いまや明らかに、一つの巨大な歴史的転換期に生きていることを自覚しないわけにはいかない。下手をすると、われわれが自ら手にした、自然（＝対象的世界）を変革する強大な威力をもちながら、むしろその故に、自らの意図や意識とは離れて、われわれ自身の類的な滅びを招きかねないという恐れの中にいる。おそらく、われわれの課題は、安っぽい小手先細工や、手あかにまみれた技術的対処によって処理できる問題ではないであろう。ハイデッガーが指摘しているような、存在がそれ自体において覆われていること、そしてわれわれ自身、そのことに十分自覚的ではなく、その欠如の重大さに気付いていない—おそらくそこにこそ現代の問題の最も重要な鍵があるのではあるまいか⁉

　私は、身の程もわきまえず、未知の存在の暗い森の中へ、敢えて構えて身を躍らせた。おそらく、大胆極まりない知的な冒険と開拓こそが、今のこの無明の時代には求められているような気がしたからである。

　私は現象学的存在論を有力な手がかりにしながら、存在の根本的な規定性を「存在となり、なっていることを」あるいは「存在を存在たらしめるもの」としての現前性であると規定した。それは、われわれの意識や精神によっては抑えようとしても抑え得ない、地底から吹き上げる風のような存在の威力である。

　かくて、われわれは、存在のこの根本規定性のゆえに、われわれの意志や認識を媒介とした能動が、存在を明るみに出すと同時に、たえず存在のブラックホールを浮き彫りにせざるを得ないという運命を担う。この意味で、現前性とは、特殊な存在者たるわれわれだけでなく、一般存在者の存在としての主体性を指示する普遍的規定性でもある。

　ところで、この現前性の具体的・現実的な現れは、この私における（私を通じての）この世界の現前として現れる。そして、ここにおいては「この私を私たらしめているのは私ではない」と「この世界を世界たらしめているのはこの私である」という全く矛盾した存在様態の弁証法的統一である。統一の契機は、具体的・現実的な生命的統一＝（私の）主体性である。かくて、われわれは、世界存在と私との関係を生きた弁証法の歴史として把握することができる。それは、一面では主体性（＝精神）が自らを存在たらしめる他者（＝自然）のうちにまず客体として主体性（いわゆる魂、のちには神）を発見し、やがてその展開につれて自らの主体性を発見し膨張させ、「神こそが存在である」から「人間こそ神である」に至る主体性の逆転過程として世界存在の現前の歴史を描き出すことができることを示している。

　この長い存在の歴史において、われわれは、主体性の大逆転の槓桿として、やはりデカルトのコギトを挙げざるを得ない。すなわち、人間の歴史において初めての徹底した「認識論的懐疑」を経て発見されたコギトと自己意識こそは、いわゆる近代的自我（すなわち「認識論的主体性」）の核心であり、近代以後、現代にいたるまでのあらゆる人間的実践の基軸でもあった。ところで、デカルトにおいては、認識の主体としてのコギトとそれが世界存在を媒介として再び自己に環って自己同一的連関をなすことは一般的な認識論的懐疑によって基本構造が明らかにされたにすぎなかったが、その後二百年にわたる思想史上の巨人たちの格闘によって、デカルトが初めて開示した認識論的自己同一の形式をもつこの世界という世界把握は、ヘーゲルによる弁証法的論理の発見を通して、実質的・内容的にも完成されたのである。

　だが、そのことによって図らずも露呈されたのは、デカルト以来自明の前提とされてきた、認識論的主体性（コギト）と認識論的自己同一（自己意識の存在）が、実は、存在論的にいささかも根拠づけられてはおらず、彼らによってひそやかに無前提的に存在肯定されていたにすぎないことが明らかとなったことである。そして、ヘーゲルがその体系において神を完璧に叙述したことと伴って、価値論的（神もしくは形而上学に対する）批判と克服の運動が展開されることとなった。批判する対象の内容に応じて、実存主義・弁証法的唯物論・現象学的存在論が各々対応するが、それらすべてに共通するのはコギトと認識論的自己同一に対する徹底した存在としての懐疑を通り抜けていないということである。そしてそれはやがて、アジアの知恵の中に流れる主体性の否定（性）を契機とした「存在論的懐疑」の徹底とそれを通じた、真の「存在論的主体性」の確立へと向かう道である。

　最後に、われわれは近代的自我（思想）を総体的に克服しなければならず、それは既述の諸哲学を存在論的主体性を基軸として弁証法的＝構造的に総合するという課題を果たすことである、と言えるであろう。

第一章　現前性

存在とは、何よりもまず、存在となっており、なること、すなわち現前性である。

存在と無の二元論からなる存在論がある。だが、サルトル自身が述べているように、ヘーゲル流の「無」は「欠如としての存在」にすぎず、論理的には従属的な概念である。彼はそこで、現象学的な反省を加えて、「否定としての無（化）」という概念を持ち込んだ。だが、そもそも存在と無という対比自体が伝統的・形而上学的な名残りの強いものであって、彼が現象学的存在論を徹底させるなら、存在を存在そのものの根源において把握するべきであり、「無（化）」などという従属的な媒介によってその本質に迫ろうとするがごときは、徹底さを欠いていると言わざるを得ない。

それに対して、ハイデッガーの存在論は、より自然な現象学的姿勢を貫いており、その面では正しいのであるが、他方、存在の根本的に了解可能性に安易に依存し、存在の構造性を明確に把握することを怠った（具体的に言うならば、デカルトのコギトを存在論的に把握するという不可避の作業を回避した）。従って、彼の自然記述による存在論は、哲学体系としては極めて恣意的で主観性の強いものとならざるを得なかった。

かくて、われわれは、ハイデッガーとサルトルの異質な二つの誤りをともに克服しなければならない。すなわち、現前し、現象し続けるものという意味における「存在」を明らかにするためには、われわれは、たえず、存在の根源に迫って、存在によって存在を明らかにするという方法を貫かねばならないし、対象的にそこにあるものとしての存在を明らかにするためには、われわれは、「関係性」としての存在の中に、普遍の根本構造を探らねばならないだろう。

さて、ところで、われわれが冒頭で述べた、存在とは存在となっており、なることである、という命題は何を意味しているのであろうか。それは、言い換えるならば、小鳥が囀（さえず）っており、百合（ゆり）の花が揺れており、何となくめまいがし、私の背後に何かを感じる等々、端的にいえば世界が存在し、あれこれの定在が存在し、何らかの気配があり、そして、さらに存在するということを述べているにすぎない。但し、その際に重要なことは、現前性とは、いま述べられたような分析的な説明によっては了解し得ない、直接的なまとまりとしての現前、もしくは現出としての存在のあり方であるということであろう。したがって、それは主観―客観、認識―意識、一―多などの規定性を即時的に含んではいても、反省されることなく、ただひたすら前へと現われる、現われとしての存在、であるということである。

さらに、「現前性」とは、現前していること、現前すること、現前し続けることのすべてを貫いているあり方である。それは、存在を存在させている、また、させる働きでありながら、同時に、そのようなものとしての存在そのものを指し示す概念である。すなわち、「存在」という概念を言い換えて、矛盾を孕んだその根源を把握した「現前性」という概念こそは、存在の本質を端的に表現するものである。それは、また、存在が自らを現わし、現われるという意味で、存在の主体性を指し示す言葉でもある。

補遺一　私の考えでは、哲学（的知）は、自己自身を超えたもの、もしくは自己自身の根拠をなすものを把握しえないでいる。それにも拘わらず、われわれの世界は存在し続ける。存在としてのわれわれの自己把握の貧弱さと、存在それ自体の現前の威力との間の乖離、それこそが現代の特徴であり、現代の問題の本質である。人は、そのような乖離はいつの時代にも存在したことであって、格別目新しいことではないと反論するかもしれない。だが、人間は、その長い歴史の流れの中で、自らがこの世界の主体であって、自らの意志と意識によって世界のすべてを把握し、自らに都合の良いようにそれを改造することさえできると己惚れたことは、かつて無かったことである。ただ、デカルトがコギトの明證性を明らかにして、認識の主体としての自己を発見して以来、人々は、あたかもそれが存在論的な主体性の発見ででもあるかのように振舞い始めたのである。フッサール以来の現象学、とりわけサルトルの現象学的存在論においては、デカルトのコギトに対する反省と存在論的な再把握が為されているが（「自己についての意識は、対立であるのではない。われわれが無限遡行を避けようと思うならば、意識は直接的な関係であって、自己から自己への思考的な関係ではない、としなければならない。」[1] あるいは「反省以前的なコギトがあって、それがデカルト的なコギトの条件をなしているのである。」[2]）、サルトルの存在論的主体性である「実存」は、あくまでもその基軸にデカルトのコギトを据えているのであって、世界存在の一般的かつ根源的な主体的把握には至っていない。

1　サルトル「存在と無（1）」松波信三郎訳　人文書院　P27
2　同上　P27

補遺二　われわれは思惟もしくは精神によって存在を把握することに慣れてしまっているが、そもそも、われわれの思惟や認識それ自体も存在の根源的な現前性によってわれわれにもたらされたものであるということを忘れてはならない。

「遊戯」という極めて重要な文化現象を考察した著書の中で、ホイジンガは次のように述べている。「遊戯は文化よりも古い。文化という概念は、・・・とにかく人間社会が必ずその前提になっている。ところが、動物は人間から遊戯することを教えられるまで、待ってなどいなかったからである。・・・動物はもう、人間と全く同じように遊戯をしている」[3]ここには、人間の社会＝文化現象としての遊戯と動物の身体的力動におけるあそびとが同一化されてはいるが、言わんとすることは明らかである。つまり、遊戯という人間の精神的・文化的現象の現れの

3　ホイジンガ「ホモ・ルーデンス」高橋英夫訳　中央公論社　P11

基底には、人間の意識や精神をそれとして成り立たせる根拠としての肉体的＝身体的威力があって、それに支えられてはじめて遊戯が成立するということを述べている。言い換えるならば、遊戯は意識や認識の対象となるような存在ではなくして、現前する現前性としての存在現象そのものであることを意味している。

そして、それは、アリストテレスが哲学の始まりについて述べている次のような言葉と呼応するものである。「・・・この知恵は制作的（ポイエーティケー）ではない。このことは、かつて最初に知恵を愛求した人々のことから見ても明らかである。けだし、驚異することによって人間は、今日でもそうであるがあの最初の場合もあのように、知恵を愛求し（フィロソフィエン）〔哲学し〕始めたのである。・・・彼らがこうした認識を追求したのは、明らかに、ただひたすら知らんがためにであって、何らかの効用のためにでもなかった（傍点は引用者）。」[4]

4　アリストテレス「形而上学（上）」出隆訳　岩波文庫　P28

これらの例から明らかに指摘できることは、思索とか遊戯という人間の文化的・精神的な現象の基軸となるような重要な現象の始まりが、いわゆる意識や精神によって媒介されてはじまったというよりは、存在現象としてのいきなりの現前であるということである。それは、マルクス主義者が「意識が存在を規定するのではなく、存在が意識を規定する。」と述べる内容と共通する面を持ち、実存主義者が「実存が本質に先立つ」と述べる内容と部分的に共通する面を持つ。だが、マルクス主義における存在＝物質という概念はあくまでも客体的・客観的な規定性であり、実存主義における実存はコギトを基軸にした自己同一的内容を残存させており、存在の主体性が普遍の相で捉えられているとは言い難い。

ともかく、われわれは、現前性についてここでは予備的に言及するに止めたい。われわれの論述が展開されるにつれて、それがやがて、哲学史の伝統を踏まえながらも、全く新しい存在規定性であることが明らかになると確信する。

第二章　主体性の相から見た世界の現前

現前性の具体的・現実的な現れは、この世界の現前である。それは、言い換えるならば、直接的な存在関係の現前性であった即自的な存在が、驚異・恐怖・歓喜などの情動によって区分され、肉体的―身体的自己という即自的な主体性と情動的意識の客体としての存在の関係的現前であった。

それは、いわば、現象としての世界の現われであって、混沌（カオス）たる無明や闇の中へ、まだ十分に主―客が分離していない情動現象が現前する姿といえるだろう。

「地は形なく、むなしく、やみが淵のおもてにあり、神の霊が水のおもてを覆っていた。神は『光あれ』と言われた。すると光があった。」[5]

「国稚く、浮かべる脂の如くして水母なす漂へる時に、葦芽のごと萌え騰る物に因りて成りませる神の名は・・・」[6]

このように、世界の現前のそもそもは、混沌（カオス）や無明を背景とした情動的な存在の現前であって、それらはやがて、驚異や恐怖や歓喜などの情念によって色どられ、あれこれの意味を持ったあれこれの存在の現われであった。それは情動の主体である私と、その私の驚異の源であるあれこれの存在との対面としての現前であったが、この精神を持ち意識を持った世界の始まりにおいて、この私は明らかに驚異するものであり、外にあるあれこれによって影響され、おびやかされ動かされる者であった。なぜなら、欲望と衝動の主体である「私」の発見は、驚異という私の根拠であるもの（すなわち、私を私たらしめてくれたのは、以前の無意識的で直接的な存在関係を切断するはたらきとしての驚異の現前であったからだ）によって見出された、私を避けさせたり駆り立てたりする力を持ったあれこれの存在に直面

5　旧約聖書「創世記」代表二節と三節

6　古事記　角川文庫版　P18

している者—見られている者—として発見されたのだからである。

ところで、情動の主体である「私」に直面し、私を見つめ、動かしているこの存在こそ、私を私たらしめてくれる根拠でありながら、私を見つめ、私に働きかける生きた自然のことであり、擬人化され主体とされた自然である。よく知られているように、ゼウスは雷電の象徴であり、アポロンは太陽の、そしてポセイドンは大洋を意味するといった風に。また次のような例もある。「・・・チェロキー族は、魚類は人と同じように集団をなして住み、村落を持ち、理性を備えた動物のように振舞うと信じている。」[7] このように、この段階の世界存在は、各々それなりに独立し自律した主体性を持つ、人間＝私のように生きた自然存在の現前する体系であったといえよう。だが言うまでもなく、生きた自然によって取り巻かれ、見つめられ、影響されている、この私こそが何よりもまず生きて躍動する主体であって、見つめられ、影響されながら、こちらから見つめ、働きかけるという実践的な関係の形成過程を通じて、自らを認識＝存在の主体として確立し、対象である自然のなかに、「私」との差異性、および自然存在相互の差異性を発見するようになった。それは、いわば主—客合一という側面の強い実践的・価値的な存在関係と存在把握のなかに、次第次第に認識論的な存在関係が浸透して行く過程であったといえよう。

かくて、自然は、それまでの隅々にまで生命が通い、緊密なまとまりを持った主体的生命であることから、人間の認識や能動的実践によって影響される受動的な客体（性）と、人間に対して影響を与え、人間が相変わらず驚異を感じざるを得ないような存在本来の現前性としての能動（性）へと分裂せざるを得なくなった。そして、この自然の能動性は「魂」「精霊」などと呼ばれて多様な自然存在のそれぞれの性質に応じて擬人化されて様々な名前を以っ

7　レヴィ・ブリュル「未開社会の思惟（上）」山田吉彦訳　岩波文庫　P47

て呼ばれた。トロブリアンド島人の例をマリノフスキーは次のように報告している。「きわめて急性の猛烈な病気、とくに直接知覚できる症候群を伴わない病気は、ムルクワウシと呼ばれる者に帰せられる。これは、空を飛び、木、家のてっぺんなどの高い場所にとまるが、目に見えない。」[8] また、カヌー用材を伐り倒す前の ヴァブシ・トクワイの呪文には次のようにある。「降りてこい、おお、木の精よ、トクワイよ、枝に住む者よ、降りて来い。枝のまたに、若枝に住む者よ。降りて来い、ここへきて、食べよ。」[9] これらは、いずれも、ある特定の存在現象（つまり、人間が自動的に被らざるを得ない存在の現前性、この例の前者では、症状が知覚できない「病気」の現前であり、後者では、労働対象である「材木のあれこれの性質」、軽いとか重いとか、の現われ）を支配する原因が、主体化され擬人化されてその自然現象の現前性が原因―結果の系として合理的説明が与えられている。そして、自然現象の原因が擬人化されていることは、人間がその自然現象に実践的に対応しようとする場合、あたかも他の人間に対するように供物を捧げ、願をかけ、祈りをあげるということになる。

　さて、人間の認識―実践が深まるにつれて、認識対象としての自然物や自然現象の数は増大するし、現象間の因果関係の発見や自然物における類・種の分類も進んでゆく。そして、その過程において、擬人化され神格化された自然神も分類され体系化され、次第に自然現象の抽象化された本質と主体性＝神性を現わす名とが結びつくようになる。先にあげたオリュムポスの神々はもはやそこまで進んだ段階の自然神であるといえる。だが、注目すべきことは、この段階まで進んだ人間の自然認識においても、ヘーパイストスが道具―工作の神とされたように、最も人間の主体性と能動性が働くと思われる道具制作さえも、まだ神からの恵みと考えられていた

8　マリノフスキー「西太平洋の遠洋航海者」寺田和夫・増田義郎訳　中央公論社世界の名著　P144
9　同　P184

ことである。

ところで、自然現象は、どれだけ統合され、体系化されても、しょせんはあれこれの個別的現象の集合であることをまぬがれ得ない。だとすれば、われわれが現前する世界の総体性を把握しようとするならば、どうしても究極的で絶対的な世界原因たる一者を想定せざるを得ない。それがキリスト教の神、超越的な絶対者、この世界をかくあらしめる根拠としての存在、存在の現前する現前性そのもの、ということになる。

だが、世界の究極原因と超越のための絶対的価値が定立されることは、その形式化と没落をも意味している。すなわち、絶対者への敬虔な祈りを続けながら、ただひたすら存在としての自らの現われを演じていた人間は、信仰と祈りのただ中にあって、自らをますます深まる認識の主体とし、またますます能動的で意志的な主体として育て上げていった。当初、それは絶対者=神への深い祈りと矛盾するものではなかったが、神への祈りと尊敬が一般化し普遍化している世界における魂の喜びの+αは、言うまでもなく、自らの現実的な欲望を実現するための認識―実践の能力によって決定されることになる。したがって、神への心からなる真剣な祈りと尊敬の只中において、人間は自らの意志や意識が思ってもいない間に、秘かなる無意識の背信を行いつつあったのである。それを、また、経済史の概念によって説明するならば、中世社会という原理的には自給自足を旨とする アウタリキー社会が歴史の進展につれて、その原理にとってはむしろ外的で偶然的な技術革新と生産力の向上によって、やがて中世的原理と矛盾する商品および商品生産者を発生させ、ついにはブルジョアジーとブルジョワ的生産様式の発展につながり、内部から中世の封建的なアウタリキー社会が崩壊せざるを得なかった事情と、論理的な共通性を持つといえるであろう。

そして、ついには、人間はデカルトのコギトに到達する。デカルトのコギトは実際にはルネサンス以降の知識人や実際的かつ実践的な新興ブルジョアジーにとっては、余りにも自明な「認識主体としての自己」の発見であったが、世界の全ての領域が神の主体性によって覆われていた当時としては、やはり世界史を画する発見であったといえるのであろう。そして、デカルト自身は意識していなかったであろうが、世界存在の主体としては神を、認識の主体としてはコギトを、という二元論は、認識—意識の現前こそがわれわれにとっての世界の現前であるという存在の秘密を知っているものにとっては、神を認識および精神の世界から追放し、人間にとっての有意味な認識—実践の世界から疎外し、（というのは、およそ思惟を媒介としない人間的活動はほとんど何もないからであるが…）ただ概念として、もしくは主観的な超越の媒介としてだけ残しておくという、キリスト教（信仰）に対する根本的な背信であったといえよう。そして、ほぼ二百年後にデカルトの哲学的な存在把握を内容的に完成させた（すなわち、世界存在を認識論的な自己同一の円環構造として把握すること）ヘーゲルは、まさにデカルトのキリスト教に対する背信をも完成させたのである。

その後は、人間こそが世界存在の主体であることを、明確に、何のてらいもなく宣言することだけが残された。「人間はキリスト教の神であり、人間学はキリスト教の神学の秘密である。

キリスト教の歴史はこの秘密を暴露すること——すなわち神学を人間学として実現しまた認識すること——以外のどんな課題ももたなかった。・・・カトリック教においては人間性は（キリストの）神性の特性であり述語である。すなわちそこでは神が人間なのである。それに反してプロテスタント教においては神性は（キリストの）人間性の特性であり述語である。すなわち〔ここでは〕人間が神なのである。」[10]

かくの如く、フォイエルバッハに至って、世界像がまったく一変する。存在としての主体性が神から人間へと奪い返されるのである。マルクスやエンゲ

10　フォイエルバッハ「キリスト教の本質・下」船山信一訳　岩波文庫　P325～326　P327～328

ルスの批判を待つまでもなく、確かに「人間こそが神なり」という彼の宣言は単なる言葉にすぎず、原始時代以来の気の遠くなるような長い時間われわれに対して影響を与え続けてきた神＝自然の重たさに比べて、如何にも頼りない言葉である。「人間が神である」とはいったいどのような意味をもった言葉なのか⁉　マルクスやエンゲルスによるフォイエルバッハに対する批判は確かに正しい（フォイエルバッハは、抽象的な思考には満足せず、直観を欲する。しかしかれは感性を実践的な人間的・感性的な活動としてはとらえない。」[11]「フォイエルバッハは宗教的本質を人間的本質に解消させる。しかし人間的本質は何も個々の個人に内在する抽象体ではない。その現実においてはそれは社会的諸関係の総和(ensemble)である。」[12]「フォイエルバッハの抽象的人間から現実の生きた人間に達するには、人間を

11　マルクス・フォイエルバッハテーゼ五「ドイツ・イデオロギー」古在由重訳　岩波文庫　P236
12　同「ドイツ・イデオロギー」テーゼ六　P237

歴史のうちで行動しているものと見さえすればいいのである。」[13]）なぜなら、人間が神であり、この世界の主であるとするならば、われわれは天上にではなくこの地上において、歴史・社会的に規定された具体的・現実的な生活を送っている、この私＝私達こそが、あらゆる善や美や快の主体でなければならないはずであり、少なくとも実践的にそれを目指すことができるはずだからである。

だが、われわれは、マルクスやエンゲルスと共に一歩踏み出した途端に、次のような歴史・社会的規定を教えられる。「今日まであらゆる社会の歴史は、階級闘争の歴史である。自由民と奴隷、都市貴族と平民・・・要するに圧制者と被圧政者は常に互いに対立して、時には暗々のうちに、ときには公然と、不断の闘争をおこなってきた。この闘争はいつも、全社会の革命的改造をもって終わるか、そうでないときには相闘う階級の共倒れをもって終わった。・・・

13　エンゲルス「フォイエルバッハ論」松村一人訳　岩波文庫　P58

しかしわれわれの時代、すなわちブルジョア階級の時代は、階級対立を単純にしたという特徴をもっている。全社会は、敵対する二大陣営、互いに直接に対立する二大階級―ブルジョア階級とプロレタリア階級に、だんだんとわかれていく。」[14]これはしかし、先のフォイエルバッハの規定である「人間が神である」という思想からはるかに行き過ぎてしまっているのではあるまいか⁉マルクスやエンゲルスが言うように、フォイエルバッハの規定があまりにも抽象的で観念的なのであろうか⁉しかし、マルクスにしてもエンゲルスにしても、できるならば、すべての人間が歓喜と充実の中でこの世界を主体的に肯定して生きることは望ましいし、少なくとも個々の人間がそれをめざす権利があることを否定はしないだろう。ただ彼等の現実感覚からして、この階級的に矛盾・対立した社会の中で、そのような理想描くことは空しいばかりではなく現実を誤らせることだと批判するかもしれない。敵か味方か⁉そのように迫られれば、私はどちらでもあり得ると答えたい。但し、私自身はどん底に落ち、たった一人となって孤立しようとも、世界を肯定し、一筋の光を放ち続けて生きたいと思う。ところで、いわゆるマルクス主義者といわれる人々に誤解されたくないのだが、今述べた場合は私自身の存在の最悪の場合のことであって、いつでも必要ならば諸君らと共に戦いたいと思うし、諸君らが真理を見失ない無明の中を進むならば、私＝私達は諸君らが今まで果たした以上のことを歴史において果たすべく進むであろう。ともかく、私は、今はフォイエルバッハに立ち戻る。なぜなら、世界の現前において、主体性の転換は今まさに実現しつつある（もとより思想的・哲学的に）のであって、決してそれは完成しておらず、ヘーゲル主義の尻尾を引きずっているマルクス主義も、この課題を解決したのではなくて素通りしただけであると言わざるを得ないからである。

　ともかく、私はここで今はっきりと確認しておき

14　マルクス・エンゲルス「共産党宣言」大内兵衛・向坂逸郎訳　岩波文庫　P38～P40

たい。世界にあれこれの意味を与え、そこに苦しみや悩みを感じ、また喜びや輝きを与えることができるのは、ほかならぬこの私であることを。もとより、主体と客体、主観と客観、世界と私は、相互に緊密に支え合い依存しあった関係的存在であり、私は自然によって造られ、自然によって支えられる部分的な自然そのものであり、同じように類的存在として人間の一人であり、共働関係の網の目によって構成される社会の構成メンバーの一人であるにすぎない。だが、それにも拘わらず、この私を通してこそ、世界はかく現前し、きらめきを発し、喜びと苦悩の渦を巻いて現われ出る。この世界のすべてに意味を与え、匂いを与え、香りを与え、それにふさわしい位置を与えて、世界を肯定することができるのは、そのような意味で世界の主であるのは他ならぬこの私である。

補遺一　私は、この現代にあって現実に力を持ち、生きて躍動している世界観は唯一、いわゆるマルクス主義とよばれる思想だけであると確信する。そして、また私は、ちょうど私が今行おうとしているように、マルクス主義の欠けたる処を克服しようとして、人間性とか主体性の解放を前面に押し出してマルクス主義に挑戦した思想のことごとくがその批判に成功していないことも知っている。だが、私は、敢えて屋上に屋を重ねようと思う。なぜなら、誠実かつ真剣に現代社会を批判的に克服しようと奮闘しつつある諸党（派）の中に、余りにも非人間的な荒廃を見ざるを得ないからである。私は、その社会的実践に多少の責任を負うべき者として、敢えてマルクス主義のタブーに挑戦せざるを得ない。

【いわゆる物質と精神について】

弁証法的唯物論の基礎的な諸著作は、物質と精神、あるいは存在と意識という哲学（史）上の根本問題にほぼ次のように答えており、彼らはこの哲学（史）上のアポリアにほぼ正しい解決を与えたと信じているらしい。

まず、問題は次のように立てられる。「自然に対する精神の本源性を主張し、したがって結局何らかの種類の世界創造を認めた人々は・・・観念論の陣営をつくった。自然も本源的なものと見た人々は、唯物論のさまざまの学派に属する。[15]」そしてさらに「われわれ自身がその一部である物質的な、感覚的に知覚しうる世界が唯一の現実の世界であり、われわれの意識と思考は、それがどんなに超感覚的に見えようとも、物質的で肉体的な器官、脳髄の産物である。物質が精神の産物ではなくて、精神それ自身が物質の最高の産物に過ぎない。[16]」ところで世界の歴史的発展を重視する弁証法的唯物論は、さらにつけ加えて、この脳髄が「自分の環境のなかでまたこの環境とともに発展してきた自然の一産物である。[17]」〃人間〃の器官であるということになる。こ

15　エンゲルス・前掲書　P30
16　同　P37
17　エンゲルス「反デューリング論」村田陽一・寺沢恒信訳　国民文庫版　P77

れらは、ヘーゲルの絶対的観念論（例えば、ヘーゲルには次のような言葉がある。「論理（ロゴス）（das Logische）は人間にとって自然的なもので、むしろ論理は人間固有の本性〔自然〕そのものである。けれども若し自然を一般に物理的自然と見、精神的なものとを対立するものと見るとすれば、論理はむしろ超自然的なものと言うべきであろう。それは人間のあらゆる自然的行動、すなわち感覚、直観、欲求、欲望、衝動の中に入り込んで、たとえ形式的な面だけからではあっても、要するにこれを人間的のものに、すなわち観念と目的とに変えるものである。[18]」「われわれは論理学の内容を、自然の有限精神との創造以前の永遠な本質の中にあるところの神の叙述…だということができる。[19]」）やフォイエルバッハの中の抽象的な唯物論に対する批判的克服であるとして眺めるならば、確かに、存在把握に対する巨大な進歩であるとみとめることができるだ

18　ヘーゲル「大論理学・第二版の序文」武市健人訳　岩波書店　P8
19　同　序論　P34

ろう。

だが、根源的な存在の把握という観点から見るならば、上に述べられたマルクス主義の存在―認識論は、必ずしも十分なものではなく、「近代の超克」という巨大な時代的任務を背負って生きざるを得ない現代のわれわれに対して、十分な現実的・実践的励ましを与えるものではない。なぜなら、自然科学が輝かしい発展を遂げた時代に生きるわれわれにとって、マルクス主義の基本文献が述べているような〝いわゆる〟唯物論的存在観は一種の常識と化しているといってよい。それでは何故、今だにマルクス主義（者）が「唯物論」の旗を掲げ続けなければならないのか⁉理由は簡単である。われわれは、精神や意識が物質的な過程の産物であることを科学的推論の明晰さの下に十分に認めている。だが、同時に、それにも拘わらず、われわれは相変わらず様々な表象に取り巻かれ、概念を扱い、そのほか諸々の意識・精神現象の現前を通して、自己の人間としての目的を追い快楽を追い社会的活動を展開せざるを得ない。そして、われわれを喜ばせたり悲しませたりする現実的存在過程において、その喜びや悲しみは他ならぬ意識や精神を媒介としながら、その現前として現れざるを得ないという事実がある。従って、お互いにマルクス主義の原理の上に立ちながら、お互いを、その実践理論に関して「観念論」だと悪罵を投げ合うという奇妙な光景が生じることになる。すなわち問題の第一点は、「唯物論か？観念論？」というような（ヘーゲル流に言えば）、「悟性的」もしくは「旧形而上学風」の問題の出し方と受け止め方それ自体が間違いであり、敢えて言うならば非弁証法的であると言わざるを得ない。つまり、問題の正しい立て方は、「従来、物質と精神という風に対立的に捉えられていた概念は、実は如何なる同一性と差異性を持ち、どのように止揚されるのが正しいのか⁉」ということであり、端的に言うならば物質と精神、存在と意識とをどのように統一的に捉えたらよいか、ということである。

問題の第二点は、精神と意識の現前を物質過程の産物であると捉えながら、そこに立ちどまって、さらに大胆に唯物論的真理へ迫ろうとしないということ、その結果、「反映」というような外的で比喩的な概念を使わざるを得ず、マルクス主義者の自負とは裏腹に、相も変わらず秘かに二元論を残存させている。「反映」の解釈によっては、実践理論において「機械論的」と非難されることにもなる。このような不徹底さを生む最大の原因は、マルクス主義の物質概念に、ややもすれば実体論的な要素が残存し、物質それ自体も存在現象と述べることが適当な一定の限定づけられた存在規定性であることを忘れがちになることであろう。つまり、存在現象一般において、人間存在は必ずしも特権的なものではなく、人間の精神（認識・意識）現象もそれほど特殊例外的な存在現象ではないことを知るべきである。少なくとも、存在が存在するということの神秘さと不条理に比べたら、人間の精神現象の特殊さなどは無に等しいといえるだろう。

最後に、問題の第三点としては、これは自然科学的認識一般に共通する欠点でもあるのだが、意識や精神という現象が、なによりもまず、この世界を現前させる主体的存在たるわれわれの主体性の現前として捉えられておらず、客体化され、分離され、バラバラにされた研究室の実験材料のような取り扱いを受けているということである。それは、とりも直さず、唯物論的な存在―認識論が、生きて躍動する人間の主体性や価値の問題と内在的に結びつかず、いわゆる「客観主義（的）」と呼ばれる傾向を生み出す基となる理由である。それは、意識や精神が、生きた現実として世界に現れる際の根拠である生命的統一、すなわち主体（性）との関係において捉えられていないからである。

ところで、それでは、われわれは如何にして右の哲学的アポリアを克服したらよいのか!?

第一の答は、意識・認識をはじめとするいわゆる精神は、ある特定の存在現象であって、存在現象一般が所有する一般的特性を持っているということができる。例えば、熱く燃えた火の中に投げ込まれた石は、やがて温度が上がり、表面が赤くなり、さらには膨張し、時には部分的にかすかな音を立てて亀裂を生じるかもしれない。ここには火と石との間の存在関係＝存在現象の現前があるが、石に視点を置き、それを主体（的存在）とみた場合、石は火との間に一つの相互に外的な、しかし直接的といえる存在関係を形成する。だが、同時に、石は、熱くなったり表面を赤くしたり膨張したり等々の、主体としての石にとっての自己内的な存在関係＝存在現象を現前させる。結論的に言うならばこのようなある統一をもった主体としての存在において、その統一を構成する内存在における、内存在現象が意識もしくは認識とよばれる存在現象の存在論的な基礎であり、それが統一されて、一者として構成されたものが主体性の現前としての意識・認識・一般に精神とよばれる現象を生む前提条件である。もとより、有機的な統一を欠いた石における内存在現象を意識や精神と述べることはできないが、しかし、そこに見られる一般的な内存在現象こそが、人間の意識や精神の現前にまでつながる基礎的存在現象であるといえよう。主体的存在の構造性如何によって、内存在現象（すなわち意識・認識・精神の基底をなす存在現象）の具体的な現われは多様であろうが、それは生物学・動物学・心理学等々の個別科学の課題であろう。

第二の答について。「反映」というレーニン得意の、唯物論的主—客合一のキーワードは、はっきり誤りと言わざるを得ない。つまり、唯物論的な存在把握を徹底させるならば、精神を持った存在も、精神を持たない存在も、存在の根源的な本質において区別されるはずはない。ところで、第一章で見たように、存在の最も根源的な規定性は現前性であって、それは、存在と存在の出会いにおいて、どちらの存在もその基底において自らを駆り立てる現前性を存在として被りながら、この出会いにおいて、さらに一つの全体性を持った存在現象を形成するという過程の全てを貫く規定性である。いわば、存在と存在の関係的現前は、絶えず劇的な直接的な出会いであり、相克であり、相互変革である。言い換えるならば、それは、主体と客体が作用し作用されて、また静かに各々の自律性を保持しつつ、別れてゆく、というような、媒介的な二元論的な関係ではなく、端的に新しい一個の全体としての存在現象を現前させる、直接的な存在関係である。それは、精神をもっている人間と精神を持たない存在との関係に於いても同じことである。精神の現象は、直接的な存在関係において他在の現前性によって被った、内存在的現前の開示であって、「反射」とか「反映」という概念の持つ機械的ニュアンスとは決定的に異質なものである。敢えて言うならば、「意識や精神とは、物質的出会いにおける、主体を通じての世界の現前である。」

かくて、第三の答は、抽象的には既にほとんど答えられてしまったといえよう。意識や精神の現象は、決して何ら神秘的なものでもなければ特別大げさな存在現象をでもない。ただ、一般的な存在現象とほとんど変わりはない、とすましていられないのは、意識や精神は、他ならぬ私における世界の現前であり、私の主体性の現前であり、痛みや喜びや悲しみや満足などの現前であり、私が現実的に気にかけていることをすべての現前だからである。ところが、マルクス主義者は次のように述べるだけである。「認識とは何であるか、という問いに、弁証法的唯物論の反映論はこう答える。認識とは、客観的実在としての世界の反映である、と。感覚、知覚、意識は外界の像である。[20]」「事物の像とは、事物の反映された存在の観念的形態、すなわち、主観、その脳に反映された形態である。[21]」「弁証法的唯物論にとっては、それ（「反映」のこと―引用者）は主観と客観的世界との、外界の作用とこれによってひきおこされる主観、その脳の応答作用をとの、相互作用の結果である。[22]」これは明らかにエンゲルス

20 ルビンシュタイン「存在と意識（上）」寺沢恒信訳　青木書店 P53
21 同 P59
22 同 P63～64

やレーニンの反映論に比べれば、はるかに発達した厳密な認識論である。人はほとんど「まったく正しい！」と叫んでしまいそうである。だが、よく注意してほしい。すでに述べたように、ここにはすべてのいわゆる「科学的」存在把握の持つ欠点と共通の欠点が露呈されている。すなわち、認識・意識という人間にとって最も重要な現象を想定するにあたって、徹底的に客観主義的であり、規定された認識や意識からたったの一滴の血の滴りも感じさせないことである。別の言い方をするならば、ここでは認識が認識として独立させられており、認識を認識たらしめる根拠としての生命（的統一は）＝主体性との密接な関係が見失われている。すなわち、厳密に言うならば「認識をはじめとする精神現象は、客観―客体的存在との関係的現前として現われる生命的統一＝主体性の現われであり、客観―客体を媒介として主体性の実現をはかる生命的機能である。」と述べなければならない。

補遺二　デカルトの認識論的懐疑と実存主義

われわれは世界の現前という根源的な存在の現われの秘密を究極的に明らかにすることを目指している。そして、それは、言い換えるならば、根源的な存在構造を主体的に明らかにし、真の存在論的な主体性を確立することである、と言えるであろう。そうだとするならば、われわれは、いわゆる根源的〝懐疑〟によって、コギトという今日までの哲学を完全に覆い尽くしている近代的自我＝認識論的主体性を確立したデカルト的懐疑を振り返ってみることから始める必要があるだろう。

デカルトは、次のように、近代哲学史において輝ける金字塔を打ち立てた文書を綴る。

「・・・私共の感覚はややもすれば私どもを欺くものであるから、有るものとして感覚が私どもに思わせるような、そのようなものは有るものではないのだと私は仮定することにした。また・・・かつて私の心のうちに入ってきた一切のものは夢に見る幻影と等しくは真ではないと仮定しようと決心した。

けれどもそう決心するや否や、私がそのように一切を虚偽であると考え欲する限り、そのように考えている『私』は必然的に何者かであらねばならぬことに気づいた。そうして『私は考える、それ故に私は有る Cogito ergo sum 』というこの真理が極めて堅固であり、きわめて確実であって……これを私の探求しつつあった哲学の第一原理として、ためらうことなく受けとることができると、私は判断した。」[23]

まず、われわれは「感覚によって有るとみなされたもの、有るものではないと仮定する」というデカルト的懐疑の意味するものを明らかにしよう。

デカルトがかかる仮定を設けざるを得なかった理由は、彼が言うように「感覚がわれわれを欺く」からである。彼が哲学原理として求めているものは、そのような不整合と不完全さを持たない、絶対的な明證性である。手の感覚と、それが感受する熱さや寒さが相対的なものであることはよく知られている。従って、感覚やその対象を存在とみなした場合、意識はそれを移ろいやすい多様な個別性としてしか捉え得ない。つまり、ある感覚や知覚の現象のうちに現われる存在は、他の同様の存在との間に相対的な存在関係を保持することができるにすぎず、意識がそれらとかかわりを移ろい歩く間は、懐疑はどこまでも永遠に続けられることになる。しかも、その間、意識は、それらの「定在」の間を移ろい歩くものとして自己自身を把握することはない。

ところで、デカルト的な懐疑の本質的な意味は、このような定在から定在への無自覚的な意識の動きが、多様な定在を眼前に展開することに対する不満と焦立ちの現われであるというところにある。つまり、意識は定在を追い続ける間は、次々に新しい外的世界の展開に目を奪われるという、新奇さへの興味や好奇心を満たしはするが、ただそれだけでは満たされない何ものかを内在しているということ（の現われ）を示している。言い換えると、意識は世界を限定し、区分し、規定する働きでありながら、自

23　デカルト「方法序説」落合太郎訳　岩波文庫　P41～42

らが限定し、区分し、規定した世界を統一の相の下に把握しようとする働き、つまり、世界を総体として把握しようとする働きを持つ。つまり、限定と区分は世界に分離をもたらす働きであるが、それは、あくまでも「関係」のうちにおいて為されることで、前提には「統一」と「直接性」(→主体性の現前)がなければならないということを示している。さらに、言い換えると、意識は世界を限定することによって、それを存在として現前させるが、そのことによってみずからを相対化し、「存在を存在たらしめるもの」としての自己自身を背景に浮きあがらせる。自らが現前させる、対象としての存在(＝定在)の新規さに目を奪われ、かかる無自覚的な認識現象に没頭してる間は良いが、自己自身も「存在を存在たらしめるもの」としての「存在」である以上(というより、存在を存在たらしめるためには、そのような他在の現前を不可避にするというのが存在現象の本質である)、次の段階においては、自己も含めた存在関係の総体的現前に直面せざるを得ない(サルトルの言う、意識の根源的な無化作用である)。デカルト的懐疑とは、すなわち、「定在の現前」において対象化された存在の、存在としての明證性と、「存在を存在たらしめたもの」すなわち現前性の不安定性との乖離によって生じるものである。

つまり、言い換えると、存在が存在として浮かび上がってきたとき、世界は区別の中に置かれ、その存在を存在たらしめるものが同時に現在する。外的には「無」であり内的には「コギト」がそれであるが、当初は、コギトは自己自身を知ることはない。そこで、はじめのうちは、外的に明らかにされた存在と無(これはもとよりサルトル的な概念ではなくヘーゲル的なそれである)の展開を追い続けるのであるが、外的世界はあくまでも二元的な対立の構造を維持し続け、分裂がさらけ出されたままに残る。そして、この段階における外的世界の明證性は、存在現象＝直接的存在関係としての明證性であって、認識論的には根拠づけられないもの、不可解なものとして懐疑の対象である。

さて、次に、デカルトが「あるものではないと仮定する」と述べている部分をやや詳しく検討してみよう。

デカルトは、前のところで感覚によって欺かれたと述べているが、彼が欺かれたと思ったのは言い過ぎであって、実は、われわれの感覚と対象との関係は、不変かつ構造的な存在関係ではなくて、絶えず新たな現前として現れる現象をそのものの、限定された姿であるということを示しているにすぎない。従って、〝欺かれた〟のは、デカルトが暗黙のうちに思い込んでいた「思い込みとしての対象的存在（現象）」にすぎないのであって、感覚的了解という存在関係の根本構造は不変のまま、デカルトの思い込みと失望を超えて、何らの影響も被らずにそこにある。つまり、存在関係の新しい発見によって、「存在の感覚に対する多様性、多様な現前」という事実が現れたにすぎないのである。それはすなわち、「存在」という概念の規定性が変化したにすぎないのであって、存在自体が否定されたことにはならないのである。

ところが、デカルトは、感覚による存在把握が安定的に存在を把握できないということの発見から、いきなり、「それゆえに、感覚による存在把握は無であるかもしれない」というところまで飛躍してしまうのである。ところで、もし、われわれが感覚的存在了解の次元に止まっていながら、そのことを主張するとしたら背理である。なぜなら、先に見たように、感覚的存在了解は認識による反省を加えると、不安定で恒常性を持たない、ということがいえるだけであって、認識による反省を経なければそのようなことはいえないし、また、その反省を経たうえでも、感覚的存在了解それ自体は無くなりはしないからだ。言えることは、ただ一つ、感覚的な存在（了解）は認識にとっては「無」もしくは「幻想」、でないとは断言できない、ということである。デカルトが「有るものではないと仮定する」と述べたことの真意はそこにあるのであって、より分かりやすく言えば、感覚的存在は感覚によって把握するだけでは（有であると）根拠づけることはできないということである。これは、根源的な思惟もしくは認識の否定性が、感覚現象の否定として自ら認識の世界を現前させたしるしである。つまり、感覚を対象化して、感覚的世界における存在了解の構造総体を、自己自身の現象世界（認識現象の世界）から切り離したのである。従って、感覚的世界は閉鎖的な自己同一の世界として存在関係の中での一つの個別的な存在現象とされて、究極的な存在根拠から切り離されたのである。

　ところで、感覚現象を存在現象の中の特殊として限定し、区分したのは、言うまでもなく感覚現象を相対化しうるもの、すなわち認識の働きであって、感覚を含みながらそれを超えるものである。このように認識の働きは、まず感覚的世界の限定づけ、もしくは否定として現われるが、それは言いかえると徹底した無限定の否定として働き、あらゆる対象的な存在を疑うデカルト的懐疑として現われる。つまり、この段階における認識は普遍的な無化作用として、世界のすべての存在を疑うこととなる。

　普遍的否定性としての認識および思惟（すなわち認識論的懐疑）の現象である。つまり、ここにおいては、あらゆる存在は、認識ではないものとして認識の世界から追放されるのである。

　だが、ここまで来ると逆転が起こる。

すなわち、あらゆるものがその対象性、限定性、一言で言って「定在」であることのゆえに否定されて「無」とされるのであるが、それは存在的＝存在論的に無とされるのではなく、あくまでも、認識の内面的な否定性である「認識論的懐疑」によってなされるのであって、言い換えるならば、定在の限定性の超越としてのマイナスの抽象作用と言えるようなものである。認識の外面的な規定性が外的世界の区分や限定としての概念の創造や発見に至るのと対照的である。そして、この「懐疑」という内面的な否定性は、あらゆる存在を存在であることのゆえに無化して、最も醇化された根源的・本質的な内面的統一に至る。すなわち、あらゆる定在の否定を通じて、最も無内容な、その意味で最も純粋な認識現象の根本構造を浮かび上がらせたのである。つまり、あらゆる否定性の根拠としての「コギト」の発見と、そのたえざる自己同一的現前性としての自己意識とである。

　さて結論を述べるならば、デカルトの懐疑は、人生的懐疑に支えられた存在＝存在論的懐疑ではなく、認識論的な明晰判明な真理に至るための認識論的懐疑であって、認識の現前の根拠である存在それ自体は一瞬も疑われたことはない。したがって彼の懐疑が解けてコギトと自己意識を発見するや、それは盤石の重みを持った哲学の原理とされたのである。（コギトの真の根拠である存在の現前性に無知な、この主体性をわれわれは「認識論的主体性」と名付けよう。この項の内容に触れる、次のようなデカルトの言葉がある。「私のさまざまの判断において理性が決意を鈍らせている間も、生活はできるだけ幸福に続けてゆき、自分の日々の行動に限っては不決断に陥らぬようにと、三、四の格率から成るにすぎないが、私は自分のために当座の準則を作ったのである。」[24]）

　ところで、コギトを基軸とする自己意識という認識論的自己同一は、デカルトにおいてはまだ基本的な形式が確立しただけであったが、ヘーゲルに至って文字通り形式・内容の両面から完璧に実現された（例えば以下の言葉を見よ！「・・・哲学の要求というものは次のように規定することができる。精神は感じ直観するものとしては感性的なものを、想像としては心象を、意思としては目的をその対象としているが、精神はこれら精神の定有および対象の諸形態と対立しながら、あるいは単に区別されながら、自己の最高の内面性たる思惟をも満足させ、そして思惟をその対象としようとする要求を持っている。かくして精神は、言葉の最も深い意味において、自分自身へ帰るのである。というのは、精神の原理、精神の純粋な自己は思惟であるからであ

24　デカルト「方法序説」落合太郎訳　岩波文庫　P30

る。」[25] そうすると、われわれが見た認識論的自己同一と認識論的主体性が孕む矛盾も明瞭に浮かび上がらざるを得ないこととなった。そして、この認識論的な自己同一と認識論的主体性（世界の存在＝存在論的根拠は神へ、認識論的根拠はコギトへというのがこの主体性のスローガンである）が、存在論的には何らの根拠もないことを後続者は痛切に感じさせられることになったのである。人々が〝実存主義者〟になったのは論理的必然であった！

つまり、事情はこうである。デカルトに始まりヘーゲルによって完成されたある自己肯定的な近代的自我の足元に「無」の深淵があることに人は気づいたのである。余りにも見事に堂々とヘーゲルがその主体性を貫徹し、世界のすべてをその肩に担ってみせたがゆえにである。それは、まず価値の喪失の自覚と価値論的懐疑として始まった。

ヘーゲルの壮大な思想的格闘にもかかわらず、真理すなわち神が対象化されてみるとあまりにも貧しく、われわれはまさに自らの存在を賭けて「選び」をしなければならない羽目に追い込まれた。「だがそれなら、理性が逆説的情熱に身を燃やしてつまずきかかろうとし、そしてまた人間の自己認識をすら破砕し去るこの得体の知れないもの、これは何者であろうか。これは、確かに得体の知れないものだ。……そこでこの得体のしれないものを『神』と呼ぼう。これは、われわれがつけてみた、ただの名前にすぎない。」[26] ニーチェによれば、このような〝あれかこれか〟にすぎないものは「神」などではない。彼は端的に「神は死せり！」と宣言する。それはまさしくニヒリズムの到来である。「ニヒリズムとは何を意味するのか？――至高の諸価値がその価値を剥奪されるということ。目標が欠けている。『何のために？』に対する答えが欠けている。」[27] さらに「徹底的ニヒリズムとは、承認され

25　ヘーゲル「小論理学（上）」松村一人訳　岩波文庫　P78

26　キュリケゴール「哲学的断片」杉山好訳　中央公論・世界の名著　P99

27　ニーチェ「権力の意志」原佑訳　河出書房・世界の大思想　P12

ている最高の諸価値が問題であるとき、生存を維持することは絶対にできないという確信である。それに加えて、彼岸とか、『神的』であり道徳の体現であるような事物それ自体とかを措定する権利を、私たちはいささかも持っていないという洞察である。」[28] そして、彼は「超人への、力への意思」を込めてギリギリの主体性に踏みとどまる、すなわち「私たちはこの思想をその最も恐るべき形式で考えてみよう。すなわち、意味や目標はないが、しかし無のうちへの終局をもたずに不可避的に回帰しつつあるところの、あるがままの生存、すなわち『永遠回帰』。

　これがニヒリズムの極限的形式である、すなわち、無（「無意味なもの」）が永遠に！」[29] かかる存在に真正面から直面し、それを引き受けるものとして・・・。それはカミュの次の言葉とぴったりと呼応する「私はシジュフォスを山の麓に置いておく！人はいつも繰り返し自分の重荷を見出す。しかしシジュフォスは神々を否定し岩を持ち上げる高い誠実さを教えるのだ。シジュフォスもまた、すべてはよしと判断するのである。もはや主人をもたないこの宇宙は、彼には不毛だとも空しいものとも思われない。この石の一粒一粒、深い夜に満たされたこの山の金属的な輝きの一つ一つは、ただ一人の彼に対して、一つの世界を形づくる。頂上に向かう闘争そのものが人間の心を充分満たすのだ。幸福なシジュフォスを思い描かねばならぬ。」[30]

　ところで、これらの論述のすべてに共通に言えることは、われわれが絶対者の喪失によって、この世界に全くの孤独な価値喪失者として投げ出されているという自覚。そして、それにも拘らず（否、むしろ、それゆえに）、われわれこそがこの荒涼たる空しい世界を引き受けなければならない主体なのだということ、つまり孤独なる主体としての自己肯定である。それは、一見いかにも雄々しく颯爽としてい

28 前掲書 P12
29 同 P34
30 カミュ「シジフォスの神話」矢内原伊作役 新潮文庫 P167

るが、明らかにデカルトのコギトを軸にした存在＝存在論的な自己同一への固執であり、孤独で無内容な主体性の開き直りであるにすぎない。だから、カミュやニーチェが空しい存在＝現前を雄々しく肯定せよと唱う時、彼等の眼差しは、彼等を主体（性）として支えてくれているこの世界のあれこれの存在への〝配慮〟を欠いており、その目にはウロコがかぶさっていると言わざるを得ない。それは、「無化する存在」を実存として、その根源的あり方を「投企（アンガジェ）」を目指す自由な主体と規定したサルトルの実存主義においても事情は変わらない。否むしろ体系的に展開されているが故に、より明確に実存主義がニヒリズムそのものであることが明らかとされているといえるだろう。「すなわち人間存在は、自分が欠いている全体へ向っての自己自身の超出である。・・・人間存在は、それであらぬという形でこの全体であるのであるが、この全体は、それがあるところのものである。人間存在は自己との一致へ向っての絶えざる超出であるが、かかる一致は永久に与えられない。」[31]そして、彼は率直に以下のように表明する「人間存在は、その存在において苦悩する者である。なぜなら、人間存在は、対自としての自己を失うことなしには即自に到達することができないので、自分がそれでありながらそれであることができない一つの全体によって絶えずつきまとわれているものとして、存在に出現するからである。したがって、人間存在は、もともと不幸な意識であり、この不幸な状態を超出する可能性を持たない（傍点は引用者）。」[32]一見、サルトル哲学において実践的価値的支柱と見誤られがちな「投企」や「自由」という中心概念が、われわれの存在＝存在論的な不安にとって何の慰めにも励ましにもならなかったことは明らかである。かかる憂いに沈んだ雰囲気がこの世界のそれであり、それを引き受けねばならぬのがこの私であるのか⁉そんな馬鹿な話しはない。存在論としての実存主義は明らかに病んでい

31　サルトル・前掲書　P242
32　サルトル・前掲書　P244

る。そして、それは実存主義が存在の根源的な洞察を欠いており、存在論として決定的に不徹底であるということの言い換えにすぎない。その意味では、サルトルよりもハイデッガーの方が事の本質に迫っているといえるだろう。「ニヒリズムとはその本質においては、存在そのものにおいて起こる歴史であるだろう。そうとすれば、存在がいつまでも思索されずにいるのは存在が身を引くがゆえなのであって、存在そのものの本質に依ることなのであろう。」[33]「形而上学は、存在そのものの歴史の一時期である。然るにその本質においては、形而上学はニヒリズムである。そのニヒリズムの本質は、存在自らが歴史としてあるその歴史に所属する。」[34]だが、残念ながら、ハイデッガーの認識はここまでに止まっており、すべては覆われている。

かくて、われわれは、現象学的存在論を批判的に揚棄して、存在のさらに深奥へ迫ろうとするわれわれの道が誤っていないことを確信しうる。

33 ハイデガー「撰集II・ニーチェの言葉『神は 死せり』」細谷貞夫訳 理想社 P72
34 同 P73

補遺三 存在論的懐疑と存在論的主体性の確立——

われわれは、サルトルとハイデガーの存在論における異質なそれぞれの誤りを、ともに克服しなければならない状況に置かれている。

ハイデガーの誤りとは、デカルトのコギトに依らなければ、根源的かつ、冷徹な存在と無の洞察へ至り得ないということに気づかなかったことであり、サルトルの次の批判にすべては尽くされている。

「ハイデッガーは……コギトを経ずに、直ちに存在論的分析に取り掛かる。けれども、《現存在》Dasein は、もともと意識次元を欠いていたのであるから、この次元を決して回復することができないであろう。ハイデッガーは、人間存在に自己了解を附与し、この自己了解を、自己自身の可能性の《脱自的投企》projet ekstatiqueとして定義する。われわれとしても、この投企の存在を否定するつもりはない。けれども、それ自身において、了解であること（についての）意識でないような了解とは、いかなるものであろうか？」[35] さらに別の言い方をするならば、コギトこそが客観的な存在の構造性を開示する槓桿なのだから、それを欠いた現象学的存在論は、恣意的・自然的存在記述といわれても仕方のないものにならざるを得ないことである。

次にサルトルの誤りとは、存在洞察＝存在論的な懐疑が徹底しておらず、そのことによって存在と無が、その真の深みにおいて捉えられていないということである。つまりコギトを存在了解の直接性によって基礎づけることは仕事半分にすぎないのであって、われわれはそこにとどまっている限り、デカルト〜ヘーゲル的な認識論的な自己同一を克服したことにはならないのであって、自己同一が時間の流れの中に繰り返される段階へと進んだだけであり、おまけに根拠は没価値的な存在とされるのだ。問題はサルトルの「無」に対する把握の浅薄さにあるといえよう。彼は「不安」という実存を規定する概念を〝現存在〟が「無に《直面》して自己を見出し、無を現象として発見する一つの不断の可能性」[36] と規定し、同じような無の了解を含むものとして「憎悪」「禁止」「悔恨」などという現象をあげている。だが、それはサルトルの場合、しょせん有的でコギトの自己同一＝肯定の殻をしっかりと身にまとっているものだといえる。例えば、「私は柵を押して入る。軽い存在どもが一跳びで飛び上がり梢に棲（とま）る。今私は我に返った。自分がどこにいるかがわかった。私は公園にいるのである。黒い大きな幹の間、空に向かって伸びている黒い節くれだった手の間のベンチに崩折れるように腰をおろす。……息が詰まるようだ。存在は目や鼻や口やいたるところから、私の中に侵入してくる……」[37] このことはサルトル自身によって確證される。「無は、もしそれが存在によって支えられていないならば、無としての

35 サルトル・前掲書 P208

36 サルトル・前掲書 P91

37 サルトル「嘔吐」白井浩司訳 人文書院 P146

かぎりにおいては消え去り、われわれは再び存在の上に戻ってくる。無は存在を根底としてしか自らを無化することが出来ない。」[38] さらに、「日常の否定的判断の場合に問題なのは、決して世界を無のなかに滑りこませるというようなことではなく、単に、存在の範囲内にとどまりながら、ある主語に対して或る賓辞を拒否するということだけである。」[39] かくて、サルトルの無は「存在」にこびりつきそれから導かれ、それとの相互依存の関係にある概念であり、従って、それは日常的かつ常識的なものであり「認識論的な無を存在論に比喩的に当てはめたもの」にすぎない。この存在＝コギトの自己同一は疑われていない。それに比べればハイデッガーの「無」に対する理解の方がはるかに深い。ハイデッガーの存在＝存在論的懐疑の方がはるかに深いことの証(あか)しであろう。彼は次のように述べている。「ニヒリズムとは、存在者としての存在者が全体に亘って無であるということを意味しているのである。しかしながら、存在者は存在からそれがある当のものであるのであり、そしてその様相のままにあるのである。すべての『ある』が存在にかかわっているとするならば、ニヒリズムの本質は、存在そのものが無であるということにある。存在そのものとは、それの真理――存在に属する真理――における存在である。」[40]
だが、残念ながら、ハイデッガーは真理に至りえない。サルトルに投げかけられた問いに答えることができないからだ。「ハイデッガーに対しては、次のように問うことができる。《もし否定が超越の基本的構造であるならば、人間存在が世界を超越しうるためには、「人間存在」の基本的構造は、いかなるものであらねばならないか？》」[41]

　さて、それでは、われわれはこれ以上既成の存在論の批判にこだわることを止めて、その限界の克服へと向かおう。

38　サルトル「存在と無Ⅰ」P101
39　サルトル・前掲書 P97
40　ハイデガー・前掲書 P74
41　サルトル「存在と無Ⅰ」P96

サルトルとハイデッガーは各々に共通する誤りを、（しかも、それこそが存在の根源的把握にとって最も重要な部分なのだが…）所有している。すなわち、彼等は存在をその普遍的な主体性の相から捉えておらず、存在と無の問題を、主体性とその否定（性）という最も根源的な相から捉えていないということである。言い換えるならば、彼等は共にデカルト的懐疑（認識論的懐疑）とデカルト的コギト（認識論的自我＝主体性）を批判しながら、共に部分的にしかそれを為し得ず、自らの始元である現存在＝存在了解の中に、秘かに認識論的自己同一と主体性を残存させているということである。彼等には、部分的な存在論的懐疑である価値論的懐疑はあるが、それは真の存在論的懐疑を知らず、したがって真の存在論的主体性の何たるかを知らないのである。

それでは、「存在論的懐疑」とは何か⁉それは自己の主体性に対する懐疑であり、主体性そのものに対する否定である。確かに、われわれは存在する。認識の主体として、存在は存在であると主張し得るし、それを思惟によって超えることはできない。しかし次のような念いに捉われることもある。すなわち、《われわれは確かに存在しているし、ひとたび存在してるものを無ということはできない。だが、それは、われわれが、自らの主観性を超え得ず、かくの如く見ることしかできず、このように思惟することができず、このようにしか感じることができないからではないのか⁉すなわち、存在は存在する（有＝有）という真理は、純粋かつ絶対的な包括的真理ではなくて、われわれは、かく存在を存在たらしめるという在り方でしか存在できないことの証にすぎないのではないか⁉》これはいわばインドを中心に発達したアジア的知恵の底に流れる思想であり、近ずきの手掛かりは有＝有というこの世界存在を情念的に「空しさ」として把握する主体の現前性であり、さらにそれを認識を媒介として存在論的に省察し、主体（性）の移転によって、存在をさらに深く把握することである（註――「バーガヴァタ・プラーナーヴィシュヌ神の幻力」〝中央公論社世界の名著Ⅰに所収〟に、世界思想史上の巨大な輝かしい記念碑と讃えてよい、この主体性の移転による存在論的懐疑と存在論的主体性の確立を暗示する美しくかつ深淵な文章がある）。

つまり、人間がこの大きさで、この目とこの神経を持って世界存在を眺めるならば、どうしても、今見るように見える通りだろう。だが、主体性を転移して原子やチリの大きさで、その主体の眼で見るならば、おそらくは世界から色彩は消え、匂いも消えて、世界は全く異質な様相を呈するに違いない。すなわち、この世界はこの私において現前しているこの世界であるにすぎないのだ。ところで、われわれがそのような存在（原子やチリ）に主体（性）を転移しただけでは、存在論的な否定としては十分ではない。なぜなら、われわれが、この思惟や感性（すなわち、われわれの主体性）によって把握するこの世界においては、ありとあらゆる存在は人間的・実用的に構成されており、われわれの主観性が貫徹した〝人間的まとまり〟であって、それは原子とチリといえども変わらないということである。かくて、われわれが、その存在論的否定を徹底させようとするならば、過去の人間の実践的・価値的歴史によって蓄積された人間的存在――認識の対象、あるいは実践の媒体として客体的に把握されたり、概念的に把握されて来たこの世界のありとあらゆる存在――の、その人間的なまとまりそれ自体、その関係枠それ自体を破壊し否定しなければならない。つまり、比喩的に述べるならば、海と空とを水平線で区分して、それぞれを認識可能な客体＝定在とするのではなく、それらの間の区分を捨象し否定して、無規定的な完璧に空想的なまとまりにまで解体するということである。この存在主体（性）の存在論的解体によって、この世界は、《存在であると同時に、この、ここにおいて無である》と規定することができる。

さてそれでは、何故われわれはこのような存在論的解体を必要とするのか!?それは、この私が、存在の余剰として、この世界の絶対の主体であると知るためである。

この世界において、私こそが世界の主であり、私こそが世の光であり、輝きである。世界が如何に混沌とし、いかに思考の領域を超えようとも、われわれはあくまでも闇や苦しみを転じて、光と輝きの相において世界を肯定する。それこそが私の唯一の自然な在り方である。なぜなら、この私こそが、この世界の主であるのだから……。

第三章　存在の構造
――概念弁証法と歴史弁証法――

フォイエルバッハの「人間こそが神である」という規定を受け継いで、我々は、今や存在論的主体性の基本的な原点を確立した。後は、この主体（性）を主体（性）たらしめる基底としての、世界存在の構造性を明らかにすることが残されている。それは、原理的な存在論的主体性の確立を、存在関係＝存在構造の中で関係的に現前させるという作業である。不本意ながら、この小論に与えられた条件＝限定のゆえに、いきなり核心に踏み込まざるを得ない。《すなわち存在構造の把握とは、弁証法的世界観の批判的再構成である。》（註―なお弁証法的な存在＝論理構造を簡明に叙述するために、以下において「存在」という記号の代わりに「有」という記号を用いることにする。）

ヘーゲルは、無規定的な「有」を弁証法的に展開して、それを最後に絶対精神として内容的に規定するのであるが、それは、神的な偉大さ＝包括性は始元の無規定的な「有」に代表させ（なぜなら、無規定であるがゆえに、それはすべてを呑み尽くすことができる）、内容的豊かさは歴史と人間の思惟と経験の進展に委ねるという矛盾的統一である。ヘーゲルの体系に内在するかかる矛盾は、われわれを少なからず当惑させる。もし、無規定的な「有」を信仰の対象とせよということになれば、人間はその無内容に耐えられないだろうし、逆に、人間の歴史が獲得した観念的豊かさを信仰の支えにせよと言われれば、人間は、その意識の自己克服的な側面によって、神という理念自体の無効を知らされるだろう。また、もし、「有」と「歴史」との統一こそが絶対精神であり「神」であるとなおも開き直ろうとすれば、それはもはやキリスト教の神ではなく、書斎の中で考えられ書かれた神にすぎない。やや単純化して述べるならば、有 →概念（規定）→絶対精神と展開するヘーゲルの弁証法は、有→概念→有′＝有という円環構造をなしているのであって、それは歴史や思惟の進展につれて、有→概念→有′＝有→有″＝有……（すなわち、有→有′→有″……と有＝有＝有……という二つの系列を持つ二重の無限連鎖から成る）という矛盾を開示せざるを得ないのであって、それは、有→有′→有″……の無限連鎖が表現する「歴史」と、有＝有＝有……の無限連鎖が表現する「自己意識」あるいは「理性信仰」の学的統一としての概念弁証法であるといえるだろう。ところで、有′＝有という具体的な対象的世界が、弁証法の始元として、有′（＝有）とされるか、それとも有（＝有′）とされるかは、ただ現実的・実践的に決定される以外にはないのであって、それを一義的に決定する論理的合理的法則はない。なぜなら、論理の始元は論理ではなく、概念の始元は概念ではなく、世界を現前させる主体性＝生命的統一という「直接性」だからである。

ところで、有→概念→有′＝有という生きた世界の弁証法がヘーゲル概念弁証法におけるように、有→概念→有（＝有′）という展開を見せたとすれば始元の有と終端の有（＝有′）とが結合して体系的円環を成し、生きた弁証法的展開が無意味化される。それは自己克服的な主体（である人間）にとっては最大の焦立ちを呼び起こした。かくてヘーゲル哲学に対する第一の批判は、「概念」による静的世界解釈に対して、主体的人間がその生の直接性を対置し、「生きること」によって概念（的真理の冷ややかなよそよそしさ）そのものを批判し克服しようとする実存的批判であった。

それに対して、フォイエルバッハの「人間学」からマルクスの思想に引きつがれたヘーゲル哲学に対する第二の批判は、弁証法の始元を問題にする立場であり、ヘーゲルの始元が有や絶対精神という形而上学的・神学的概念であったのに対して、現実的・実践的な「歴史弁証法」は、それにふさわしい「歴史・社会的に規定された人間」を始元にせよという立場であった。だが、もちろん、この歴史弁証法にも難点がないとはいえない。つまりマルクス主義の始元も、キュリケゴール（その他の実存主義者たち）ほど徹底的ではないにしても（なぜならマルクス主義者は概念の有効性を最大限認めるから）、批判的実践という「直接性」による概念体系（ヘーゲル哲学をはじめとする保守的世界観と云い直してもよい）への批判であるからには、その批判には、必ずしも論理的合理性という原理があるとは限らないというわけである。つまり、歴史弁証法の始元は、一面では革命的実践や社会的人間の主体性、すなわち端的に言って「直接性」であるために、この弁証法の生きた始元である革命的諸党派は、デカルト的主体性＝自己同一的主体性の原理によって類的統合よりは神々の争いをする可能性が強い。少なくとも統合は必然性でもなければ約束されたものでもない。[42] 他方、この弁証法の始元は「概念（規定された存在）」である。従って、この面ではヘーゲル哲学を襲う難点と同じ難点がある。即ち、始原概念は「実践価値概念（しかも客観的な存在把握を踏まえた）」として、不断に創造的に形成されなければならず、この創造的営為が歩みを止めるとき、その弁証法はたちまちのうちにドグマに変ずるというわけである。（未完）

42　欄外に注記あり。
「思想（歴史弁証法）に内在されていない統合を実現するためには思想によって外的な要素〝力〟が支配する。又は〝個性〟が補完する。」

二、信仰の構造

信仰とは

信仰の論理的構造はA＝Aという同義反復にある。従って、カントに批判された「神という概念には、すでに、神は存在するという内容が含まれているのであるから、〝神は存在する〟という命題は神の存在を証明することには無力であり、命題として無意味である。」という指摘は信仰の立場から言えば意に介する必要はない。同じく、「神は一なるものである。」「神は多である。」というお互いに矛盾する命題も、神という概念を認識の対象としてではなく、信仰の対象としてみた場合、どちらの命題も成立し得る。

信仰というものが、実存的な全体感情であり、その対象が、その意味で、論理的に一者でなければならないということは確かであり、それがキリスト教的一神教の、多神教に対する歴史的な優位を確立し得た認識論的根拠ではあるが、今はそのことは問題にしないでおく。

逆に、論理的にA＝Aという構造を持っている命題はすべて信仰告白であるといえよう。「鈴木太郎は男である。」という命題と「神は存在する。」という命題には明確な違いがある。前者は結合の論理であり、結合の根拠は経験的事実であるが、後者は証明の論理であり、概念と概念の関係を表現している。勿論、この場合にも経験の威力を前提にしているが、思惟の内部の自立的な経験、いわゆる直観、あるいは想像力に依存している。

証明の形式とは認識の形式である。

①「私はAなることを信じる。」
②「私はAであると思う。」
③「Aである。」

①と②の違いは論理構造の違いではなく、情緒的・感情的・実践的（現実的）違いにすぎない。③は純粋な論理の形式であって、内部に（その命題内

部に、という意味である）実践的・現実的価値観や感性の影響は残存せざるを得ないにしても、自立した純粋論理の構造として、その構造を改変する事はできない。意味の変革を企図するとすれば、それを外部から、または外部へ導入もしくは除去、改変せざるを得ない。

③の純粋な論理形式は認識の構造の外化したもの、記号化された認識であり、認識の形式である。

Ａ＝Ａの原型は、対象の名としてのあらゆる言語・概念であるといえよう。つまり、ある対象を対象として選ぶことは、世界をＡと非Ａとに区別することであり、それと同時にＡ＝Ａという能動的な選択（認識）が完結する。従って、人間の意識の根源的な威力は、世界を概念化することによって、もしくは世界を対象的に把握することによって、客体としての世界と概念の存在を確信することにあるといえよう。人間の認識を、認識の形式を使って批判することができない根本的な理由がここに存在する。

客体とそれの記号としての概念（対象の対象としての）との関係は、それに比べて経験的で外的なものである。しかし、記号を記号として働かせる意識の構造が〃確信〃の構造である以上、概念はそれ自体自立したものとして立ち現われる。それはその時、意識に対して、他の感覚的な対象と本質的に区別できないものとなる。対象はそれ自体（意識との間に直接的な関連に置かれているときの対象の姿）と概念との二重の存在となる。

対象→記号、自体→概念への移行の契機は純粋意識の力ではなくて、なべての経験的・現実的なものの根拠である価値意識であり、意欲や欲求などの威力（実践的威力、動物的自律性）である。

見る眼があれば対象はそのように存在するし、意欲があれば意欲の対象は存在する。

神＝究極存在とみた場合、神 ≠ 存在

従って、神 ≠ 存在

但し、究極存在 ＝存在で　神＝存在

これをヘーゲルは「有」と名付ける。論理学の有は形而上学では絶対精神であり、神学では神である。

そこで、ヘーゲル哲学においては、信仰の問題は実践価値的（神学的・宗教的）要請と認識━存在論的形式の一致という形で体系化される。

だが、論理や命題は価値意識によって初めて綜合される。（さもなければ、論理の自立性の〝自立〟が無内容となる。）つまり、論理学上の至高の概念たる「有」を意味づけるのは論理外的な威力であり、実践価値であり、信仰である。

キリスト教信仰においては、対象は一なるものであり、世界存在（の根拠）であるが、A＝Aの自己同一の構造を超えることは出来ない。禅宗に於いても（意識の）自己同一の構造には違いないが[1]、対象は空であり、いわば信仰としての信仰の否定である。世界へ自己を投映すること、つまり、世界存在との自己同一の超克であり、A＝A、A・非Aの並存の乗り越えであり、同一性と差異性とからなる論理的・合理的世界の空無化である。

〝道〟

茶道・華道

信仰の否定としての信仰

武士道、任侠道

実践価値としての美には一元的な信仰の否定と東洋的ヒューマニズムがある。

無邪気

天性としてのそれは珍重すべく好ましいが、実践価値的な目標とはなり得ない。

超克・解脱・三昧・自在の境地

日常性に貫徹する宗教心こそが創造的社会の理想であろう。

信仰にとらわれず、信仰を乗り越えること。

社会心理学的機能としての宗教　→代替可能であ

1　意識の作用として見た場合

ろう。既成宗教（禅宗を除いて）はすべてそのようなものとして共存しうる。

宗教心の淳化

宗教が全世界に、全人類の日常的実践の中に取り入れられるようになること。そのことこそが全宗教の共通の願いであった筈だし、全宗教史と宗教家が指し示そうとした大いなる理想であった。

それはだが、大きな教団組織があらゆる人間を覆い尽くし全世界を席巻することによって可能であるといえるだろうか。

宗教が組織化されること。組織化された宗教という観念ほど矛盾した観念はない。それは、地上の権力的秩序に加えて、さらに新たに、教条によって秩序化された地上権力を付け加えることに他ならないからである。

過去のあらゆる宗教がそうであったように、力を以って支配しようとする宗教はすべて力によって滅ぼされる。

仏教が教団を作り宣伝によってその教えを広めようとしたのは、その精神と矛盾する。宗教心が最も広く日本に広まり、大衆の端々まで行き渡ったと同時に、教団的活動が衰退したのは決して矛盾でも偶然でもないのだ。

宗教心は人間の在り方自体に由来する、永遠の本質に属する。それはどのような人間の心にも、およそ人間と認め得るどのような存在の中にも脈々と流れ続け決して消えることはない。

通俗的に言えば、宗教心とは存在としての自己の空しさ、はかなさを感じる心と言えるであろう。無常を感じる心、それこそが最も淳化された形の宗教心である。それは決して声高に叫びはしない。決して相手を抑えつけて洗脳したりはしない。他の人に語って弱さの傷をなめ合った途端に、生臭い人間同士の傷のなめ合いという宗教心とは似ても似つかぬものに変ってしまう。無常を感じてなおも生き続ければならない人間同士が日常のちょっとしたしぐさの中に表す思いやり、それを通じて結ばれるほのぼのとした人間的共感こそ、最も淳化され、肉体化され具体化された宗教心である。→課題はそれを人間関係の基礎をすること！

読書ノート

『キリスト者の自由・聖書への序言』
マルティン・ルター著 石原謙訳　岩波文庫（一九五五）

一、キリスト者の自由

ルターは、すべての宗教に通ずる、「たましいの優位」という立場から「聖なる福音すなわちキリストについて説教された神の言」（P13）をこそ尊重せよと説く。そして、福音書に説かれたキリストの説教を通して神を「信仰」し、それを不断に練磨することこそがキリスト者の務めであるとする。そのことを強調してやまない彼の心には「行ない」から人の信仰心を図ろうとする現実の司祭たちへの痛烈な反発がある。それはまた、「旧約」を律法の書とみなし、「新約」に代表される福音と信仰の立場をより根源的なものとみなすことでもある。福音にすがってキリストを信じることは、いわばキリストと一体となることであって、それによって「キリストのもっておられたすべての善きものと祝福とはたましいに所属することになり、同様にたましいに属していたすべての不徳と罪過はキリストに託せられる」（P21）ことになる。この根源的な立場を忘れて「行ない」（「善行」）によって神に近づこうとしてもそれはできないことである。なぜなら、キリストを信じることをから切り離された「善行」は、神をその栄誉の源とみなすことに必ずしも結びつかないのであって、実際には、ただ自らのためにのみするものにすぎないからだ。そこで、あくまでも、キリスト者は自らの内なる声に従って、ただひたすらキリストを信じなければならない。もとより、罪を負うた「僕」であり「肉」を備えた者として「行ない」から逃れることはできないが、それも「神の前に義しく行おうとする意図をもってなされてはならない。」（P32）のであり、その「行ない」は「ただ、身体が従順になりまたその劣悪な欲情から潔められ、そして眼はただ劣悪な欲情を駆逐するためにのみこれを注視するという意図をもってなされなければな

らない。」（P32）

このことはいくら強調されても強調され過ぎることはないのであって、善い行為が正しい人をつくるのではなく、逆に正しい善い人が正しく善い行ないを為すのである。つまり、行為に先立って人格こそを問題にしなければならない。そして、言うまでもなく、キリスト者の人格的価値はすべて、神・キリストへの「信仰」によって支えられなければならない。人の善・悪は外に現れるのであるが、「それはすべて見かけであり外見である。この見かけは多くの人々を誤らせる。」（P37）このことと関連して「痛悔や懺悔告解や滅罪について書いたり説教したりするのは善いことであろうが、そこから更に進んで信仰にまで達しないならば、それはたしかに単なる悪魔的な惑わしの教に過ぎない。」（P39）ということも言える。

ところで、この世では人は「自己の身体だけで生きているのではなく、他の人々のなかに生活している。」（P40）。そこで、「行ない」は避けられないが、それはあくまでも内にある歓こびと湧れでる愛によって、人に仕えるべきである。丁度、キリストが「自由であったにもかかわらず、われわれのために僕となりたもうた」（P41）如くにである。このことは更に、それが「信仰」に背かない限り、時の権力に服することを認めることにも連なり、それ以上に、細々とした人の世の規則や心の動きに従うことをも許すものである。否、むしろ、歓こびをもってそうすべきであるとさえ言えるかも知れない。

結論は次のようである。「キリスト教的な人間は自分自身においてではなくキリストと彼の隣人とにおいて、すなわちキリストにおいては信仰を通して、隣人においては愛を通して生活する。彼は信仰によって、高く己を超えて神へと昇り、神から愛によって再び己れの下に降り、しかも常に神と神的な愛とのうちにとどまる。」（P47）

「キリスト者の自由」について

キリスト教が社会生活全般に浸透したが故に不可避的に惹起された宗教心の外化と組織化が、内面的な堕落を伴わざるを得なかったのは止むを得ない歴史の流れであったろう。それはキリスト教という、普遍的ではあるが対立的で攻撃的な宗教だけではなく、本来融和的である筈の仏教に於いても見られたことである。宗教心が外化され、宗教的な秩序が現実の全体を覆うに至れば、当初情熱的に希求された〝実存的不安からの離脱〟の意欲は、具体化され卑俗化されざるを得ない。つまり、初期の理念的な抽象性は現実の舞台に引きずり降ろされることによって、不可避的に現世的な個別的価値や意欲に結合され、細分化されざるを得なくなったのであろう。

そのような動向に対して、ルターのような敬虔なキリスト者が改革の烽火をあげざるを得なかった事情も推測はつくのであるが、彼の主観的な意欲や善意とは無関係に、それが中世的な意味での宗教心からの近代的な乖離であったことは否定すべくもないであろう。つまり、大胆な言い方をするならば、究極的な実践価値の座に長く居座っていたキリスト教の神、及びそれに対する「信仰」を相対化し、個別価値へと転じさせるエポックであったとみられるからだ。それは中世的な帝権に対する反抗の勢力を代表する動向の一つでもあり、近代的ブルジョア社会の自立した自由な個人の発生とも歩調を合わせるものであり、ルターの復古的で純粋な信仰心という主観性を離れて、近代的な自我の「自由」を支える理念的根拠としてのプロテスタンティズムという客観的な意味づけは否定することができないに違いない。

善行がそれ自体で尊重されないキリスト教世界の不思議さは、原罪の意識と密接につながるのであろうが、何よりもキリスト教の神が人格神であることと関係があろう。自らの自我をはるかに超えた〝超〟自我の威力によってでなければ、ヨーロッパ人は互いの人格の中にある不都合を摘発できなかったであろう。つまり〝罪〟という強圧的な概念を使わなければ、世界存在の中に秩序を回復（もしくは発見）しえなかったのであろう。それに対して、世界を苦痛と感じ易いインド人や、無や空しさを感じ易い中国人や日本人、そして世の中における人間関係に羞恥という苦痛を感じざるを得ない日本人など、アジアの諸民族においては、世界存在は自己の物の見方を変えることによって、完全で大いなる秩序をもった偉大な存在として眺めることができた。つまり、自分の内面に燃える炎が自らを焼き尽くすほど強烈なものでなかったがゆえに、世界の矛盾や苦痛は自己自身の責任において処理できるものでしかなかったのであり、自分の身にそなわる統御できない〝威力〟のゆえに災いを招くことなどは例外的にしか存在しなかったのである。一言で言えば、アジア人は〝おとなしく〟その意味でアジアの文化は閉鎖的で自己充足的であったともいえるのだが、世界はともかく自分の認識の範囲に、正確に言えば、〝自我〟が自らの〝認識〟の範囲に収まっていたということができる。

それに対して、ヨーロッパ人およびヨーロッパの文化は異質であった。ヨーロッパ人にとっては〝自我〟とは時に意志的な〝抑制〟を超えて〝爆発〟する〝狂気〟に連なるものであり、得体の知れない不条理を含んだものであったがために、自らの「異常」を制御する為には自らの力を超えた、ある他者を神という観念によって想定しなければならなかった。アジアの宗教における、天・道・空などが、いずれも人間の自我と判然たる区別を持たない、互いに浸透し合い、溶け合ったような概念であるのに対して、キリスト教の神が明瞭に擬人化された倫理的人格として、意識に対抗して現われる理由がここにある。アジアに於いても、神的なものは自らの力を超えた力をもち、自己の無力からそれにすがるのであるが、対抗の意識はなく包含の概念であり、部分と全体との連続性を保っている。

ヨーロッパの「自我」意識は一種の原子論であ

り、そのような見方をする限り、不条理を含んだ「自我」は自らの責任において、処理できない問題を惹き起こす。そもそも「自我」の自覚こそが一種の完全主義であり独断であり、模倣であるともいえるのである。

二、聖パウロのローマ人にあたえた手紙への序言

聖パウロのローマ人にあたえた手紙は新約聖書のうちでも真の主要部をなし、最も純真な福音であって、キリスト者がこれを一言一句暗記するどころではなく、たましいの日毎の糧として日常これに親しむに足りるだけの品位と価値をそなえている。[1]

このようにルターが、聖パウロのローマ人への手紙を高く評価するのは、パウロの説教とルターの信仰とが重なり合っているからに違いない。それは、「神は心の根にしたがってさばきたもう」という確信であり、「律法」や「行ない」を重視する立場のアンチ・テーゼなのである。パウロとルターの「律法」の概念規定は必ずしも同じ内容ではないが、心の持ち方や信仰への態度は同じである。ルターが「律法」を外面的な規制や行いの象徴として、ほとんど完全な否定的ニュアンスを込めているのに対して、パウロはモーゼ以来の伝統をまだ受け継いでいる時代の人らしく「律法」の真実は内面的なものであり神の下にあると主張している。つまり彼に於いては、神の声としての理念的な「律法」と、それが現実の世界に具体化される制度としての「律法」とを共に同じ名で呼びながら、しかも信仰の名・神の名に於いて明瞭に価値的な区別を与えているのである。二人の「律法」に対する感じ方の違いは以下の表現によく表れている。

《聖パウロは本書の第二章において、ユダヤ人をすべて罪人であると断定し、律法の実行者にして初めて神の前に義しい(ただしい)とのことを主張している（十二

1 引用（P67）

節以下)。この場合彼は、何人も行いによって律法の実行者であると言おうとしているのではなく、むしろ反対にユダヤ人に向って、「あなたは姦淫してはならないと教えてしかも姦淫する」と責めているのであり　二十二節)、同じく「あなたは他人をさばくことによって自分自身を罪にさだめている。審(つまびら)くあなたもおなじこと行っているからである」(一節)といっているが、それは「あなたは外的には律法の行いにおいて立派な生活をなし、そしてそのような生活をしない人々をさばき、また何人にも教えようとする。あなたは他人の目にある塵を見るが、自分の目にあるうつばり[2]には気づかない」と言おうとしているにちがいない。なぜならたといあなたが律法を刑罰の恐怖かあるいは報賞への愛着から、ただ外観的に行いをもって守ろうとしても、律法に対する心からの希願も愛情もなしに、むしろ嫌忌しつつ且つ強制されつつ行っているのであって、かりに律法に規定されてさえいなかったら決して行うとは欲しなかったであろう。そこから結論されることは、あなたは心の根からは律法に敵しているとの判断である。

（中　略）

だからあなたは他人に教えながら、あなた自身を教えない（二十一節)。あなたはあなたの教えることを、自らは知っていない。

（中　略）

聖パウロは第七章に「律法は霊的なものである」と言っているが（十四節）、…[3]》

ロマ書を読んでいなければ厳密なことは言えないが、これだけの文章の中にも、キリスト教の第一の布教者としてのパウロと、近代的な敬虔な自我としてのルターとの信仰に対する態度の違いが微妙に写し出されてくる。「律法」という概念に対する二人の規定が異なることは先に述べたが、上の文章をよ

2 うつばり（梁）：塵。前行の「他人の目にある塵」に対応して用いられている。

3 引用（P68～P69）

く注意して読むと、同じ、「外的な制度としての律法」ということに対しても、ルターが意識していないらしい喰い違いがみられる。つまり、ルターは「律法」をすでに与えられた文字通り社会制度として考えているらしいのに対して、パウロはむしろ人間同士を互いに制約し合うための規則づくりとしてそれを捉えている。即ち、霊的な面と外的な面という風に「律法」を区分するパウロにあっては、その外的な「律法」はルターの理解する、当時の制度としての「律法」より、更にはるかに内面的であるといえるだろう。だから、パウロが問題にするのは、おそらく、外的な「律法」には強制や嫌忌が伴うからではなくて、如何に心から善意を以てなされたにしても、その外化された「律法」には、「外化」というそのことによって、「内なる律法」と矛盾する空々しさと破廉恥と感受性の欠除（勿論この場合、道徳的・宗教的な意味のそれ）が示されているのである。宗教の本質にかかわるこの辺りのことをルターは十分的確に把握しているようには思われない。パウロは「原罪」の観念と密接につながる、人間存在の無根拠性と価値的・存在論的独断性と部分性の自覚に立っていたと思われる。そのような卑小さと弱さの自覚が次第に希薄になって行ったのが西洋の近代化への歩みではなかったろうか。

《「罪」とは、聖書では、単に身体における外的な行いのみでなく、共に吹きまわし弄んでこの外的な行いを起こさせるすべてのもの、あらゆる力をそなえた心の根をいう。同様に「罪を行う」という語も、人がまったく罪のうちにおちいりさ迷うことを意味するのである。

（中　略）

聖書は心のうちを見透し、あらゆる罪の根源と主要な源泉とをあばくが、これは心の根にある不信仰に外ならない。

（中　略）

キリストは、ヨハネ伝第十六章に、「霊は、世がわたしを信じないから、その罪の故にこれを罰するで

あろう」と宣たもうて、ただ不信仰を罪と呼ばれた（八節以下）。[4]》

「罪」によって罰して「恩恵」によって情をかける「神」とは極めて人間的な神であるが、それが自らに対する不信仰をとがめる神であるところに問題がある。つまり、キリスト教に於いては「罪」という周囲に災いをおよぼす心の働きが自らのうちに存在するという自覚から（それはまた逆に災いをおよぼされることの体験であるかも知れないが、ともかく災いをおよぼすものは人間なのであって、その働きの基にあるものが「罪」である。）救済を求めて「信仰」に行きつくのである。従って、「罪」の自覚のない不遜さはキリスト教的信仰と宗教の全体を否定し去る悪魔的態度とみなされる。何故なら、ともかく「罪」を自覚しない限りキリスト教は手を差しのべることはできないのであり、救済を求めてあくせくするキリスト者の大群はまるで無駄な騒ぎを演じている阿保の大群にすぎなくなる。そればかりか、たとえ一部にも不信仰を許すことは、普遍的な絶対者としての神の観念の破壊であり、その下での平等によって現実の不平等に耐え忍んでいた精神の安定を根底から揺るがすものである。従って、キリストを認めない「異教徒」には力をもって神の意を知らしめなければならないことになる。擬人化された一者としての神が、しかも普遍性と永遠の拡大（伝道）をされるものであるかぎり、信者と「異教徒」や「異端」と「正統」という争いは避けられないものとなるのである。このように、キリスト教のダイナミズムはすべて擬人化された一者が絶対者であるというところにあるといえるだろう。

それに対して仏教においては、心そのもののように信仰の対象は変幻きわまりなく、一であると共に多であり、微小なそこここに輝く光であるともに、すべてを呑み尽くす無窮である。伝道や折伏によって信仰心を掘り起こし、かすかな火種をふいて大き

4（p72）

くする必要はなく、すべてをのみ込んだ空の現前としての自然の流動の中に抑えんとしても抑えきれずにあふれ出る泉――それこそが仏教における信仰心であり、仏性 である。路傍の一木一草に仏の心が通っているのは、それを眺めて歓こびを感じる我々の心にそれであるのと同じことである。全くの楽天主義と性善説にみられるが、これが日本仏教の精神であって、それゆえに我々の生きる現実世界が住みよく歓こばしいものであればあるほど、仏の光としての仏性はそこここにあまねく光を発し、わざわざ信仰心を奮い起こすまでもないことになる。その時、人は歓こびをもって自然を愛し、他の人々に接することを通じて世の中は現実に仏の心のままに動くことになる。もとより、悩み多き人の世にあっては、そのような理想の状態は永遠に理想でしかないのであって、苦しみを感じる人々は、その苦悩を通じて安らかな浄土を夢みるのであり、すべてを包含する安らぎの象徴としての仏にあこがれるのである。ここには、「罪」の自覚からではなく「苦痛」の自覚から生まれた宗教心が流れているのであり、「苦痛」を知らない者は、むしろ望ましくうらやましい存在であるにすぎない。このような人間観によっても現実の社会倫理が西欧社会に比較して決して乱脈なものではなかったことを考えるとき、仏教的な人間観の中には、「人は理由もなく互いに対して悪をなす存在ではない」という確信があったにちがいない。

キリスト教徒はこのような仏教的精神を軽視するが、それは何ら根拠のないものであって、むしろ彼らの自己目的化された「信仰」の尊重と、「罪」の意識の強制とをこそ反省すべきである。

外面的なものを軽蔑し、批難しているキリスト者にしてからがキリストへの没入としての「信仰」を〝強制〟(もちろん倫理的・宗教的な意味においてだが・・・)していることによって一番深い処で人間の内面性を何らかの形で変更し得るという誤った信念をもっているように見える。もちろん、彼等はそれは人間の力によってなすのではなく、キリストおよび神の名と力によってなすのだと答えるであろうが、そのようなものを知らない人間にそれを教えようとすること自体が強制であると言いたいのだ。つまり、キリスト教においては、信仰の対象である絶対者は「名」のあるものであって、それは人間の心にとっては明瞭に一つの外的な存在なのである。従って、それは教えてもらわなければ学べないし、知ろうとしなければ知られない、一つの相対的な「観念」であるにすぎない。それが絶対者であるにしても、あくまでも「観念としての」、「名前のある」絶対者として根源的に矛盾を孕んだ存在なのである。

キリスト教がそれを包含してより高い宗教へと高まるためには、自らを対象化して信仰のための契機とならなければならないであろう。
仏教の信仰対象はあえて仏や如来という人格化をすることはあるが、それはあくまでも方便であって、ただひたすら名もない偉大な究極的存在への没入こそが問題なのである。従ってこの段階では、むしろ信仰対象は「対象」と呼び得るようなものではなく、信じようとする心自体が信仰の対象となり、しかもまた消えてゆくという不断の自己同一化の働きが信仰であるということになるだろう。このことはたえず無を分泌する認識の働きと同じであり、空しさを感じ続ける感受性が、それにもかかわらず生きようとする雄々しい決意である。その雄々しさは何によって支えられるのか、それは存在の根拠を持たない自らがここにこのように存在を許されているということ自体が親なる存在の慈しみだからである。生きるも死ぬも自由だが、生き続けることは存在への感謝である。

光

見えるということはどういうことだろう。

眼前に展開される人間社会の出来事は、ありありとはっきり見えるが瞬時に移り変ってしまう。何千光年のかなたにどんな細かいものでも見ることのできる眼があるとすれば、我々の活動は何千年の後まで残ることができる。そしてその視点を無限にずらしていけば、我々の存在を一瞬でも照らし出した光は、無限の彼方まで永遠に生き続けることができる。宇宙がそのような光で満ち満ちているとすれば存在が完全に滅びてしまうことはありえないということになる。

しかし光は時―空に限定されており、存在を照らし出す媒介としては完全とは考えられない。それに対して、意識の流れこそは時―空の限定を超えて、存在の間を関係付けることができる。もし、物理学者の、いわゆる《原物質》なるものが存在するとすれば、人間の意識に通じるような時―空の超越性を備えていなければならないであろう。

＊＊＊＊＊＊＊＊＊＊＊＊＊＊＊

万有引力のような〝力〟は、その作用を法則的に把握することはできるが、その根拠そのものを明らかにすることは出来ない。

〝力〟は〝存在〟の属性であるから…

三、読書ノート　毛沢東「矛盾論」

上村肇が読書ノートとして書き込んだ大学ノート
1967年11月8日より翌年1月22日までに記した書き込みが見える。

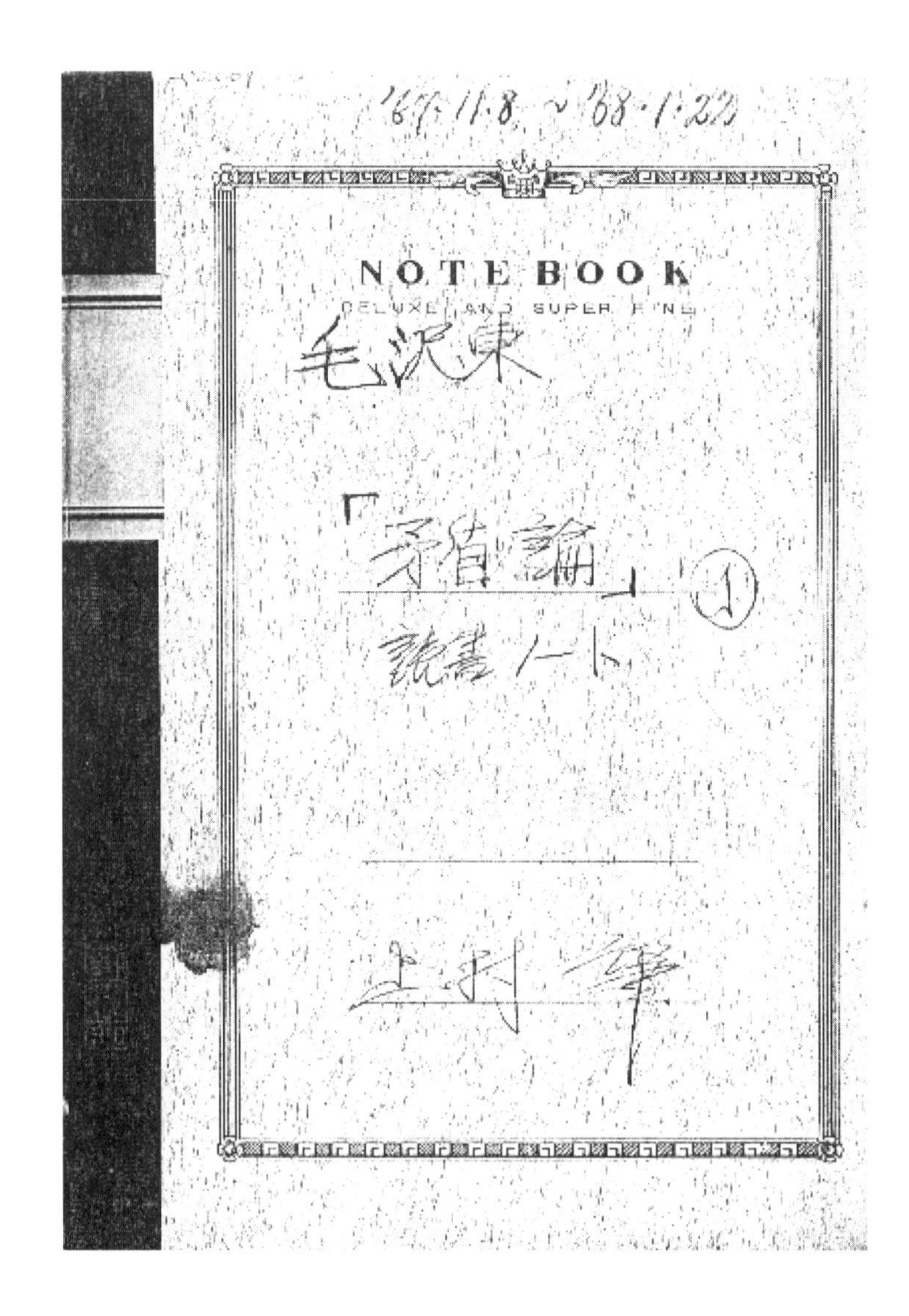

弁証法の問題点とは

弁証法の教えによると、人間の社会的関係が条件によって左右される可変性を持つこと、それが絶えざる流動性の中にあることが分る。それを言いかえると政治的な敵味方の区別はたえず流動し変化するということにある。

だが、そのことは決して人間の社会的関係に於て敵・味方の区別が無くなりはしないことを否定するものではない。もし、敵・味方という観念自体も可変的であって現在我々が使っているような意味での敵・味方という区別は失くなる可能性があるとしても、そのことは弁証法からは証明されない。

つまり、弁証法とは論理や思惟の様式として没価値的なものであるにすぎない。

即ち、それ故に、実践価値と切り離された弁証法は思惟の形骸としてスコラ的な観念の運動と化する。

「矛盾論」

毛沢東著　松村一人／竹内実訳　岩波文庫（一九五七年）

一　二つの世界観

33頁

人類の認識の歴史のうちには、以前から、世界の発展法則について二つの見解がある。その一つは形而上学的な見解であり、他の一つは弁証法的な見解であって、それらはたがいに対立する二つの世界観を形成している。

形而上学的な見解とは減少および増大としての、くりかえしとしての発展であり弁証法的それとは対立物の統一としてのそれ（レーニンによる）と言われている。確かにこのように言うことはできるであろう。

だが、問題は弁証法そのものの中にある。弁証法とは対立物の存在とそれの止揚としての規定であるが、それはその限りでは存在をものの見事に把えている。しかし、問題はその先にある。

世界が様々な、対立物から成り立っており、それが統一と分裂をくり返しながら運動を展開するということは客観的な事実として認めることができようが、そこには何らの価値判断や目的適合性の入る余地はないのである。つまり言い換えれば、弁証法は運動の法則として技術的に取り上げることは可能であるが、そこからある特定の価値観を必然的に導きだすことは不可能だということである。更に言うならば、世界が何らかの意味で〝発展〟しているということができるならば、そこにはある特定の価値が増大しているという観点が導入されている筈である。何故ならば、何らかの〝価値〟の増大を含まない〝発展〟とは自ら形容矛盾に他ならないからだ。

つまり、運動を〝発展〟という視点から捉えようとするならばどうしてもその運動の〝始まり〟を認めざるを得ないからである。別の言葉で言うならば、弁証法を成り立たせる定立と反定立という、対立物が生じる以前の〝統一〟を前提せずには弁証法それ自体が宙に浮かんだ技術主義的な思いつきにすぎないということを自ら証明するようなものではあるまいか。

弁証法的認識から、マルクス主義的世界観を導くことは哲学的・論理的には不可能であるということが言えそうである。

これらの難問の故に、ヘーゲルは弁証法を世界に表明した彼の大理論学序言に於て哲学を絞殺しかねぬ程の強引なやり方で〝始元〟の問題を片付けざるを得なかったという事情がある。だが、彼は哲学者であり論理的な思考を飛び越えることを潔よしとしない論理的な頭脳の持主であったために、ともかくも〝始元〟の問題の重要さに気がついており、それを避けることはしなかった訳である。

ところが彼の弁証法の弟子であるマルクス主義者達は〝実践〟という伝家の宝刀でその困難な〝始元〟の問題をあっさりと飛び越えてしまったのである。それ以来、マルクス主義には哲学というものはないといってよい。

同　35頁

形而上学者は、世界のいろいろな異なった事物、および事物の特質は、それらが存在しはじめたときからそうなっているのだと考える。その後の変化は量の上での拡大または縮小にすぎない。かれらは、ある事物は、永遠に、同じ事物としてくりかえし発生しうるだけであって、他の事物に変化することはできないと考える。

同　35〜36頁

形而上学的な世界観とは反対に、唯物弁証法的な世界観は、事物の発展を、事物の内部から、および ある事物の他の事物にたいする関係から、研究するように主張する。すなわち、事物の発展を事物の内部的な、必然的な自己運動とみ、またそれぞれの事物の運動は、すべて、その周囲の他の事物とたがいにつながりをもち、たがいに影響しあっているものとみるのである。

同　37頁

　唯物弁証法は、外部の原因を排除するものだろうか。けっして排除しない。唯物弁証法は、外部の原因は変化の条件であり、内部の原因は変化の根拠であって、外部の原因は内部の原因を通じて作用すると考える。

☆　☆　☆　☆

これらのことは、おそらく全く正しいであろう。
（発展という概念が問題を孕んでいる！）

二　矛盾の普遍性

同　40頁

　矛盾の普遍性または絶対性という問題には、二つの意味がある。その一つは、矛盾が全ての事物の発展過程のうちに存在するということであり、もう一つは、すべての事物の発展過程のうちには始めから終わりまで、矛盾の運動が存在するということである。

　すべての事物のうちに含まれている矛盾の側面の相互の依存と相互の闘争とが、すべての事物の生命を決定し、すべての事物の発展をうながす。どんな事物でも矛盾をふくんでいないものはなく、矛盾がなければ、世界はない。

☆　☆　☆　☆

　この辺りも全く正しい。ただ41頁でも毛沢東が引用しているエンゲルスの言葉「内的には制限されていない人間の認識能力と、まったく外的に制限されていて、局限された認識しかできないところの、人間の認識能力の現実のありかたとのあいだの矛盾が……無限に継続してゆく人類の世代のつながりのなかで、すなわち、無限の前進運動のなかで、解決されてゆくものだということは、われわれのすでに見てきたところである。」という言葉には少々ひっかかる。

なぜなら人間の認識は〝制限〟されているなどという言葉で表現されるべきではなくて、意識それ自体のなかに自らを存在としてたえず対象化しながら生き続ける（ないしは続けざるを得ない）構造＝矛盾を孕んでいるからであり、別の表現をするならば意識こそ存在が自己を存在として確認し、確信する運動なのである。

つまり意識の運動こそは、対立と矛盾の無限の展開過程として進展する存在の運動それ自体の一側面であり、その対象的な在り方である。

同　42頁

人間のもっている概念のあらゆる差異は、みな客観的矛盾の反映と見るべきである。客観的矛盾が、主観的思想に反映して、概念の矛盾した運動を構成し、思想を発展させ、人々の思想上の諸問題をたえず解決していくのである。

党内の異なった思想の対立と闘争とはつねに発生するものである。これは社会の階級的矛盾および新しいものと古いものとの矛盾が党内に反映したものである。もし党内に矛盾と矛盾を解決するための思想闘争とが存在しなければ、党の生命もまたとまってしまう。

☆　☆　☆　☆

〝矛盾〟という哲学的な課題を論じる〝矛盾論〟が、この辺りで微妙な価値観による侵蝕を受け出した。初めからの問題点であった〝発展〟という概念は一応別にしても、矛盾が単に論理学上のものではなくて、現実の生活を裏付けにした人々の間の思想的な矛盾にまで飛躍すると、これは単純な哲学問題ではなくなってくる。

デボーリン学派の問題もその辺りを注意しないと危うい。

同　43頁
労働者と資本家とは、この二つの階級がうまれたときから、すでにたがいに矛盾しているのであって、ただそれが激化していなかったにすぎない。労働者と農民のあいだには、ソヴィエトの社会的諸条件のもとでもやはり差異があり、かれらのあいだの差異は矛盾であるが、ただそれが激化して敵対になることがなく、階級闘争の形態をとらず、労働者と資本家とのあいだの矛盾とちがっているだけのことである。

☆　☆　☆　☆

労働者と資本家の矛盾（つまり労働者が労働者であって資本家ではなく、資本家は資本家であて労働者ではないということ）はまず何よりも現実の中での差異（意識や生活等における）や矛盾として現われたのであって、労働者対資本家という言葉の上での規定によってではない。そして矛盾とは、その激しさや深刻さは社会的現実の中での関係として現出せざるを得ない。そこで矛盾の激しさや深刻さの程度の概念規定はその現実をたかだか、なるべく忠実に跡づける位のことでしかないのだ。

つまり、ある一定の論理的な構成とルールを持った論理学上の矛盾の問題を超えて、人がひとたび現実の人間社会中の矛盾を問題にしようとする場合、それはたちまちにして厳密な客観的な基準を失くすのである。

実際、労働者と資本家との矛盾がどれだけ激化しており、深刻化しているか否かはただ二者の間の社会的現実的関係の中からしか明らかにはならないからである。

もしそれを否定して労働者と農民の間の矛盾は、労働者と資本家との間の矛盾や、農民と資本家との間の矛盾よりも本質的で敵対的な主要な矛盾であると述べる場合には、果たして何がそれを断定する規範となっているのであろうか。それは、明らかにマルクスの資本論に於ける経済学的な規定や、その他の文献に於ける階級関係の規定によってである。

そこには明らかに、弁証法的矛盾論の中へのある特定の価値観の導入がみられるのである。

そしてここから、現実を概念によって整序し説明づける学的把握による客観的世界の現実との関連の問題、が大きくクローズアップされる。

そこには論理と価値の問題、弁証法における〝始元〟の問題等が包まれている。

同　43頁

新しい過程の発生とはなにか。それは、古い統一と、その統一を構成している対立的要素とが、新しい統一とその統一を構成している対立的要素とに席をゆずり、そこで新しい過程が古い過程にとってかわって発生することである。

☆　☆　☆　☆

これも前の部分と関連することであるが、新しい過程と古い過程を区別し、新しい矛盾と古い矛盾を区別することができるのは、現実の中にそれを必要とする新しい事態が発生したためであり、それによって人間の意識や価値判断に変化が生じたからである。

従ってその意識や価値判断が対象化された時は現実はそれを包含しながら一歩先をすでに進行しているのであり、その意識や価値判断は克服されるべきものとしてそこに在る。

また歴史のどの時点で〝過程の転回〟が起こったとみるかは必ずしも一義的には決定されない。↓

実践の優位。

三　矛盾の特殊性

同　45頁

物質の認識とは、物質の運動形態の認識である。なぜなら、運動する物質のほかには、世界にはなにものも存在せず、そして物質の運動はかならず一定の形態をとるからである。

☆　☆　☆　☆

物質は運動の中でしか存在しないということは一面的な見方である。何故ならば、運動は静止という概念との矛盾概念であって静止がなければ運動もない。だが世の中が動に見えるのは動が積極的な概念だからである。

同　45頁

あらゆる運動形態は、その内部にそれ自身の特殊な矛盾を含んでいる。そして、この特殊な矛盾が、ある事物を他の事物から区別する特殊な本質を構成している。

☆　☆　☆　☆

そして、それを「根拠」という毛沢東。「有」と「無」の統一から成る時間の弁証法と「同一性」と「差異性」の統一から成る存在＝意識の弁証法とを区別せず、ごっちゃに取り扱っているように思える。存在＝意識の弁証法に於ては「同一性」は前提であり、「差異性」が能動的な概念となる。

同　46頁

人類の認識の運動の順序からいうと、それはつねに個別的および特殊的なことがらの認識から一般的なことがらの認識へと、一歩一歩ひろがっていく。人々は、つねに、最初は多くの異なった事物の特殊な本質を認識し、そうしてからはじめてさらに一歩をすすめて一般化の仕事をおこない、さまざまな事物に共通な本質を認識することができるようになる。

☆　☆　☆　☆

一般化される前には〝特殊な本質〟も〝特殊な本質〟といわれるようなものではなくて、単なる存在としての個別性であり差異性であるにすぎない。いわば、特殊な本質といえども即時的に投げ出されているものにすぎないのだ。だからある意味では、はっきりした差異性でさえなく、同一性と差異性の混沌たる未分化状態と言えるだろう。それが一般化という明らかな同一性によって、個体としての差異性をきわ立たせることになる。

☆　☆　☆　☆

同　47頁

これは、認識の二つの過程であって、一つは、特殊から一般であり、他の一つは、一般から特殊へである。人間の意識はすべてこのようにして、循環往復しながらすすみ、そして各循環ごとに（厳格には科学的方法にしたがうならば）、人間の意識は一歩一歩たかめられ、たえまなく深められることができるのである。

☆　☆　☆　☆

弁証法に於ける特殊⇕一般の運動が不断に継続される生きた運動であるからには、一般は決して形而上学的なアプリオリな一般である筈がなく、たえず造出される特殊を抽象して新たな一般が規定される筈であるし、その一般は新たにうまれる特殊を包含しながら、同時にその特殊によって超えられるという限界を持たざるを得ない筈である。

つまり、循環往復しながらすすむ認識は決して単純な蓄積によって高められたり、深められたりするのではなくて（確かにそのような認識もあることはあるが）自己克服的な運動として行なわれるのである。

自然哲学と論理学では毛沢東が今述べたような（エンゲルス流の）弁証法が働くのだが、実践価値の面では事情は異なる。

同　48頁

全ての運動形態の現実的な、頭でつくりあげたものでない発展の諸過程はすべて質的に異なっている。われわれの研究活動はこの点に重きをおかなければならないし、また、この点からはじめなければならない。

質的に異なった矛盾は、質的に異なった方法によってのみ解決することができる。例えば、プロレタリア階級とブルジョア階級との矛盾は、社会主義革命の方法によって解決され、人民大衆と封建制度との矛盾は、民主主義革命の方法によって解決され……

過程が変化し、古い過程と古い矛盾がなくなり、新しい過程と新しい矛盾が生まれると、矛盾を解決する方法も、それにしたがって異なってくる。

☆　☆　☆　☆

この辺りから、今まで弁証法的な認識論の枠の中で考えられていた矛盾が、にわかに実践的価値的な観点から捉えられるように変化している。例えば、矛盾の統一とか止揚という言葉があてはめられるべきところに〝解決〟などという価値的な言葉が使われている。

同　49～50頁

ある大きな事物は、その発展の過程のうちに、多くの矛盾をふくんでいる。例えば、中国のブルジョア民主主義革命という過程のうちには、中国社会の圧迫された諸階級と帝国主義との矛盾があり、人民大衆と封建制度の矛盾があり、……これらの矛盾には、それぞれその特殊性があり、これらを一様に見てはならないだけでなく、それぞれの矛盾の二つの側面にもまたそれぞれその特殊性があり、これもまた一様に見てはならない。われわれ中国革命にたずさわるものは、諸矛盾の特殊性を、全体として、すなわち諸矛盾の相互の結びつきにおいて、理解しなければならないばかりでなく、また、矛盾のそれぞれの側面からも研究に着手して、はじめて諸矛盾の全体を理解することができるのである。……（そのことは）……諸矛盾の各側面がそれぞれどんな特定の位置をしめているか、各側面がどんな具体的な形式でその対立した側面と相互に依存しかつ相互に矛盾する関係をうんでいるか、そして相互依存および相互矛盾のうちにある間および依存関係がやぶれたのち、それぞれどんな具体的な方法でその対立物と闘争するか、を理解することである。（中略）

問題を研究するのに、主観性、一面性、表面性をおびることは戒めなければならない。主観性とは、問題を客観的にみることを知らないこと、……一面性とは、問題を全面的にみることを知らないことである。例えば、中国のことだけ知って日本のことを知らないこと、……

同　52頁

中国の教条主義的な同志および経験主義的な同志が誤りをおかすのは、かれらの事物の見方が主観的、一面的、表面的だからである。一面性、表面性はまた主観性でもある。というのは、すべて客観的事物は、実際にはたがいにつながりあった、そして内部的な法則を持ったものであるのに、人々は、このような状況をありのままに反映しようとせず、ただ一面的あるいは表面的に事物をみるだけで、事物の相互連関と事物の内部法則を認識しないので、このような方法は主観主義的であるからである。

☆　☆　☆　☆

等しく「矛盾」という名で呼ばれても、論理的、質的に異なった矛盾にはそれぞれその特殊性があり、一義的、一面的に把握することはできないという。その主張は全く正しい。だが、ある見方が一面的であるか、それとも全体的であるかという判断、またその見方が主観的であるか客観的であるかという判断は現実的な事物の関連とそれを主観的に変革せんとする人間との生きた連関を通して実践的具体的に検証されざるを得ないのであって、決して現実から離れた外部から投げ与えられたり、現実的な矛盾の運動から離れた処にその基準が存在するのではない筈だ。

つまり、ある矛盾とその矛盾から成り立つ状況が他の諸矛盾とどれだけ一般性を共有しており、如何なる点で特殊であるかは、その判断が実践的、価値的な意味を持つ場合には、どうしても主観的な差異を持たざるを得ない。

しかも、弁証法に於て、この価値的な要素と純論理的、没価値的な要素とがどのように関連しあっているかということは必ずしも明らかではないのである。

矛盾の統一と分裂という弁証法的発展と、相互の矛盾の間の内的関連と互いへの移行過程を明らかにするためには何らかの意味での価値を弁証法の綜合的把握のために導入せざるを得ないのではあるまいか。あるいは、ある矛盾を措定するその時に、すでに、何らかの価値を導入しているのではあるまいか。

同　53頁

事物の発展のある過程の根本的矛盾、およびこの根本的矛盾によって規定されるこの過程の本質は、その過程が完了する日までは、なくならない。しかし、事物の発展のある長い過程のうちにあるそれぞれの発展段階では、状況はしばしば異なっている。これは、事物の発展の過程の根本的矛盾の性質とその過程の本質はかわらなくても、長い過程でのそれぞれの発展段階において、根本的矛盾はしだいに激化した形態をとるからである。そればかりでなく、根本的矛盾によって、規定あるいは影響される多くの大小の矛盾のうち、あるものは激化し、他のものは一時的あるいは局部的に解決または緩和されるし、他方またあたらしく発生するものもあるので、その過程に段階性があらわれるのである。もしわれわれが事物の発展の過程における段階性に注意しなかったら、事物の矛盾を適切に処理することはできない。

☆　☆　☆　☆

そして、毛沢東は例として自由主義段階から帝国主義段階への移行を遂げた資本主義の普遍的矛盾と一般的矛盾について述べ、更には抗日戦争を総括して第一次、第二次国共合作の例をとりあげて説明するのである。

同　57頁
以上の諸事情によって、あるときは両党の連合がつくられ、あるときは両党の闘争が生じたのであるが、そのうえ両党が連合している時期においても。連合も闘争もするという複雑な状況が生まれるのである。

同　58～59頁
諸事物の範囲は非常に広大で、その発展は無限であるから、一定のばあいには普遍性であるものが、他の一定のばあいには特殊性にかわる。また逆に、一定のばあいには特殊性であるものが、他の一定のばあいには普遍性にかわる。

特殊的なものは普遍的なものと結びついており、また、あらゆる事物はその内部に矛盾の特殊性だけでなく矛盾の普遍性をも含み、普遍性は特殊性のうちに存在しているから、われわれが一定の事物を研究するばあいには、この二つの側面およびその相互の結びつきを発見し、ある事物の内部における特殊性と普遍性との二つの側面およびその相互の結びつきを発見し、ある事物とその他の多くの事物との相互の結びつきを発見しなければならない。

同　60頁
マルクスとエンゲルスが、同じくレーニンとスターリンが、弁証法を客観的現象の研究に応用するばあい、つねに人々に教えているのは、どのような主観的任意性をもおびてはならないということ、そして客観的な現実の運動に含まれている具体的な諸条件から出発して、これらの現象のうちにある具体的な諸矛盾、諸矛盾の各側面の具体的な位置、および諸矛盾の具体的な相互関係を見出さなければならないということである

同　60~61頁

矛盾は、運動であり、事物であり、過程であり、また思想である。事物の矛盾を否定することはすべてを否定することである。これは、共通の原理であって、古今東西、その例外はありえない。だからこそ、それは共通性なのであり、絶対性なのである。しかしながら、このような共通性は、まさにすべての個別的なもののうちに含まれているのであって、個別的なものがなければ共通性はないのである。

☆　☆　☆　☆

「矛盾」の存在が絶対であり、それが永遠に展開される運動であるならばその解決も必然的に永遠に繰り返し要請されざるを得ない。

つまり、新しい時代になると、質的に異なった新しい矛盾が生まれ、その解決にも以前のやり方とは質的に異なったやり方を採らねばならないであろう。そしてその矛盾が解決されつつある過程でまた更に新しい質的に異なった矛盾が発生するという訳である。

そしてこの不断革命の流れは共産主義的理想社会が実現されるまで続くであろうが、矛盾の絶対性を語る毛沢東は階級対立が完全に止揚された共産主義社会を果たして本当に信じているのであろうか。

また毛沢東の「矛盾」の規定は全般に極めて抽象的で何にでもあてはまるようだ。

実は「弁証法」が論理学上の技術であるが故にマルクス主義思想の構成に於て偉大な勢力を発揮し得たという事情がある。

そのことはヘーゲルの弁証法とマルクス主義の弁証法とを比較してみれば明らかであるし、更に自ら最も緊要と思われる事柄に弁証法的思考を応用して

みればその有効性と限界が良く分り、弁証法が何よりもまず技術であるということが明らかとなるであろう。

＊階級社会に於ける階級対立＊

「階級」という概念は抽象的にただそれだけを取り上げたのでは単なる無内容な言葉である。だが、それでも、その言葉の中には人間、集団、社会、等の概念がすでに包含されている。そしてまた人間というものはある分け方で分類されざるを得ぬものだという見方が含まれている。

そして支配と被支配という矛盾、即ち階級対立という概念を持ち込んだとたんに、流動する運動体としての概念を獲得したのであり、更に、支配と被支配という概念にすでにして含まれている価値基準をも導入したことになるのである。しかも「階級」という概念は、この支配と被支配という概念と結合することによって初めて「階級」たりうるのであって、それ以前は（勿論論理的な意味で）「階層」とか「社会集団」などという概念から自らを区別する根拠を持たないのである。毛沢東の言葉を借りるならば、ここに至ってはじめて「階級」という概念が他の類似概念から区別される特殊性を明らかにすることができたのである。

ところで、「階級」とい概念を他の類似概念から区別するところの支配と被支配という概念は人間の意識にどのようにして獲得されるのであろうか。

資本主義経済を分析するマルクス経済学によれば、それは必ずしも直接政治的な意味での支配─被支配と結合された概念ではないが、生産関係への関与の仕方の違いとして、つまり生産手段を所有している階層と所有していない階層という区別として階級概念を規定しているのである。そしてこれは経済上の自由という点からみるならば、やはり支配─被支配といえるような関係にあるといえるだろう。

そしてこれは、経済的支配─被支配が広く政治的社会的関係における支配─被支配と結びついているという事実によって、大きく人間的な意味での支配

―被支配の一局面であることが明らかになる。即ち、純粋に客観的・論理的区別である生産手段の所有、非所有との関係が単に客観的・論理的区別に止まることができずに、生きて運動している社会的人間関係における区別や差別として現われざるを得ない（もしくは、そのような現実的な区別、人間的な差別の実態を対象化し、概念化してみると生産手段の所有、非所有の対抗関係として把握できるということがより現実的に近いのであろうが）というところに、経済学上の概念である「階級」がより大きな人間学的な意味での「階級」にまで行き着かざるを得ない必然性があるのであろう。

実際は、現実に存在する人間関係における差別や、社会的諸階層の間の区別が何よりもまず具体的で個別的な事柄として人間の意識に入り込み、やがてそれが対象化され概念化されて、「階層」とか「社会集団」とか「階級」というより明瞭な概念に作り上げられたというのが真実であろう。そしてその概念化の過程で、現実にある感覚や価値観をもって生きている人間がその概念化にたづさわるということから必然的言えることだと思うのだが、不可避的にその中に或る価値観が導入されざるを得ない。

例えば、資本主義社会に於ては、生産手段を所有しているブルジョアジーと生産手段を持たないプロレタリアートが存在し互いに個別性を持ちながら依存関係にあるということが事実であるとしても、（これは明らかに反駁しようのない事実であろう。）そしてまた更には弁証法的な運動法則から言ってこの対抗関係は決して永遠のものではなくやがては新たな矛盾＝対抗関係の中へ解消されて行くということが事実だとしても、（そしてこれも明らかな事実であるだろう。）これらのことは必ずしもプロレタリアートによるブルジョアジーの打倒の必然性や無階級社会の到来を導びく論理的な保證とはなりえないのだ。

それらの弁証法と矛盾の法則が語り、約束していることはたかだか次のこと、つまりブルジョアジーとプロレタリアートの対立という規定自体に意味の

＊国共合作の展開過程＊

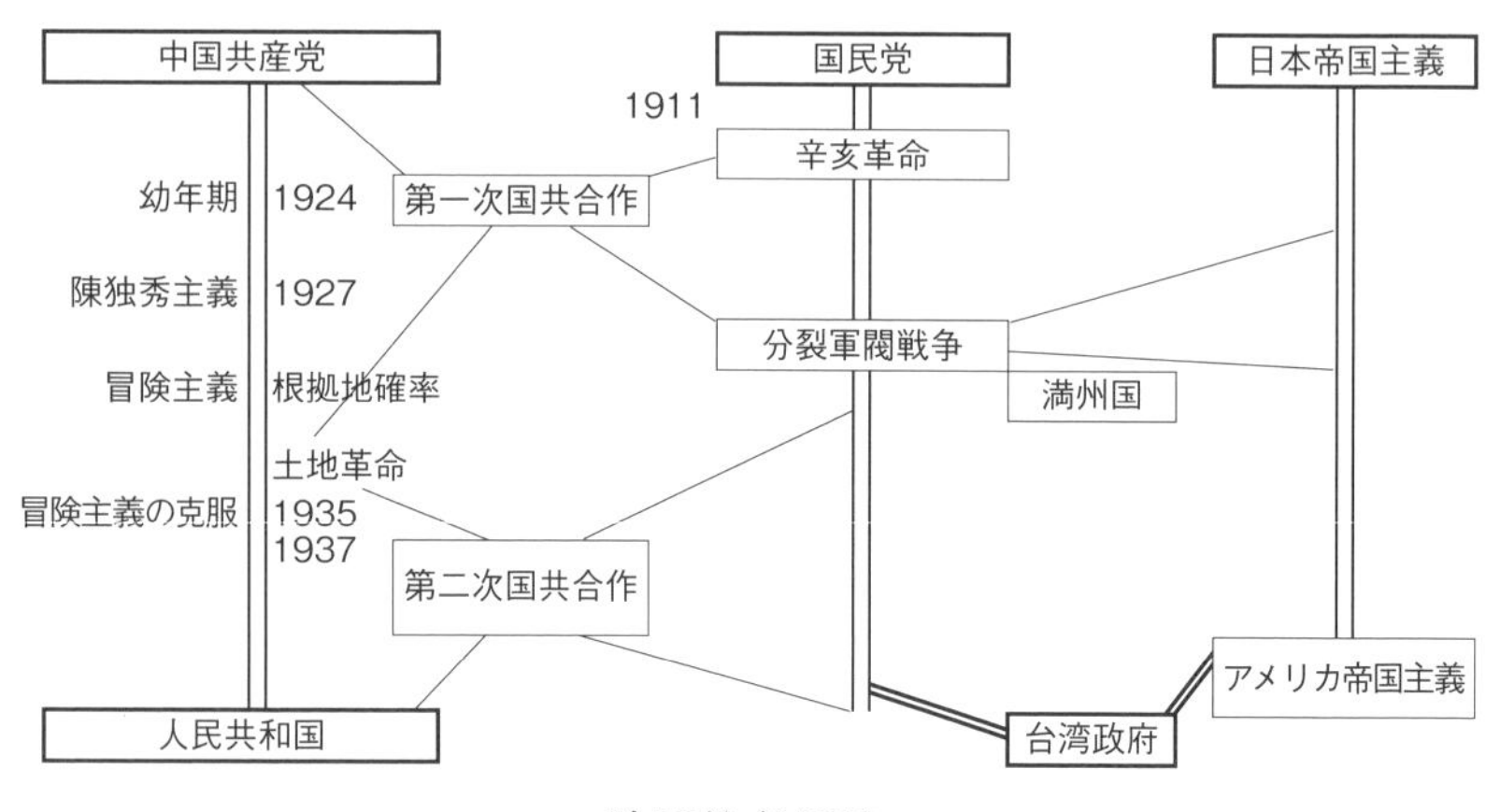

論理的必然性

失くなる時期が来るであろうこと。そしてそれが、いつどのような形で訪れるかはあらかじめ予測することは出来ないこと。少なくとも、ブルジョアジーとプロレタリアートの対立という矛盾の公式の中からは予測できないこと、等々にすぎない。

ましてや、新しい矛盾が発生して旧来のブルジョアジーとプロレタリアートの対立を止揚する際に、果してどれだけの血潮が流れるか、あるいはまた暴力革命によらねばならないか否か等々の疑問には弁証法はとうてい答える力量を持たないのである。これを例えば、毛沢東が例としてあげている国共合作の問題と関連させて述べてみよう。

中国共産党、国民党、および日本帝国主義は互いに異質の矛盾を学んでいる。中国共産党と国民党の間には中国内の封建的大土地所有制度をめぐっての対立を基礎とする敵対的な矛盾がある。それは更には私的所有か社会的所有かという非和解的な矛盾に包含される。従って、二つの間の対立はどちらかが完全に勝利するか、私的所有と社会的所有の対立が現実的に無意味になるまで（つまり、私的所有や社会的所有という矛盾概念が、社会的変動によって、非現実的で観念的な矛盾となってしまうまで）続けられるだろう。そして実際、現在もいわゆる二つの中国問題という形で見られるように、その対立は続いているのである。中華人民共和国と中華民国との対立は、１９２０年代から始まった中国共産党と国民党との対立の現代版なのである。

また、国民党と日本帝国主義、中国共産党と日本帝国主義の間にも、決して和解することの出来ない矛盾が存在した。いわゆる日清戦争以来、日本帝国主義は、たえず膨張を要請されている商品市場を確保する為に、広大な中国大陸への侵略を強めてきた。従って、日本帝国主義の中国における基本的な目的は、中国の土地と人民と、そこから産出される経済的諸資源（労働力なども含む）を日本帝国の拡大強化に利用することであった。つまり、中国の土地と人民はすべて、日本帝国の発展のための手段とみなされたわけである。従って、日本軍を初めとする、中国大陸の日本人の行為は、全て、基本的には、中国の土地と中国人を自らの利益獲得の手段と為すような形で行なわれた。このような、日本帝国の意図と日本人の行為が、全ての中国人の人間的生存をおびやかすのであったことは言うを待たない。何故ならば、過去何千年に渡って人類最古の文明を独自に育んできた中国と中国人が、自らの分化の重要部分を吸収してはじめて、独自の発展することのできた日本と日本人によって、自らの中国人としての存在を否定されかけていたからである。勿論、当時の日本の支配階級は他の全ての諸国民に対しても同じように自らの発展の手段と考えていたのであり、中国大陸への侵略は、現実的に最も有効なそれであると考えられただけなのである。そして、この帝国主義の論理は、外国と外国人に対して向けられただけではなく、同時に国内の労働者農民に対しても向けられていたのである。それでは何故、国内に於ける階級対立が、日本支配階級打倒に向かってあれ程微弱だったにもかかわらず、中国における日本帝国主義打倒の運動があれだけ強大化しついには日本帝国の破産にまで追い込むことが出来たのであろうか。これは、いわば現代国家論の最も重要な課題であり、更には世界経済論の要となるテーマであり、国際関係を理解する緊要な枢軸である。

ここでは、そのことに深くかかわることができないので、単に結論だけを述べておくに止めるが（論理的に説明されない結論というのは形容矛盾であり、単に独断的な確信を吐露したにすぎないと言われても致し方ないが）、ひと言でいって世界に資本主義が発生して以来、資本主義は資本家階級という観念的な階級によって指導発展させられたのではなくて、アメリカ、ドイツ、イギリス、日本等々の資本家階級という各々個別の独自性を持った、具体的な資本家階級によって発展させられたのである。そして、その際資本家階級を区別し独自の発展をとらせた外枠は、国家権力によって統一を与えられた各民族国家という枠組みであった。そして資本主義がひとたび経済外的力としての国家権力に支えられ、それと結びついて発展をはじめると資本主義発展の不均等は益々、世界的にみて、増大することになった。つまり、日本の資本主義の帝国主義的発展が昂じるにつれて、日本国内は単に資本家階級だけではなく、労働者階級も日本帝国主義の発展の余徳をこおむるようになったのである。即ち、日本帝国主義が、中国や朝鮮や東南アジア等へ帝国主義的な侵略を開始し、それぞれの国の人民を搾取しつつ発展を遂げると、資本家階級と労働者階級という一般的で観念的な対立が、日本の資本家階級と日本の労働階級の対立を内に孕んだ日本帝国主義と各国人民の対立となり、日本帝国主義という漠然とした規定のなかに、より漠然とした日本（軍国主義）と各国（たとえば中国）という対立へ移行し得る契機を含むことになったのである。

以上のことから、日本帝国主義は国民党や中国共産党とは決して和解できない対立を孕んでいたということができるのであるが、日本帝国主義と国民党の一部との間には一時的和解を成り立たせる条件があった。何故ならば、国民党はいわば中国における支配階級の利益を代弁するものであり、しかもその階級は資本主義的な競争の論理に支配されていたから、日本帝国主義といえどもその階級利益を破壊しない限りは之を受容し、和解しうる条件があったわけである。日本帝国主義の側からみてもそれは決して不都合なことではなかった。従って一時的で偶然的な、しかし論理的には必然的な、和解が国民党の一部と日本帝国主義の間でたえず為されていたといえる。

ところが、日本帝国主義と中国共産党は真向から対立した。それは中国共産党が自らの基盤を、日本帝国主義によって直接的に搾取される立場にある、中国の農民や労働者に置いていたからである。それに反して国民党は、その基盤を場合によっては日本帝国主義と結合して買弁的に自己の利益を追求することも可能な階級、中国の支配階級に基礎を置いていたのである。そして、中国共産党と国民党のこの基盤の違いが、必然的に両者の日本帝国主義に対する態度の違いとなって現われた。中国共産党は、日本帝国主義が完全に中国大陸から撤退してしまうか、それとも帝国主義とは呼べないような体質に変化するまで、おそらくはその存在を賭けた戦いを戦い抜くに違いない。そして事実は全くその通りであった。

弁証法との関連で述べれば、これらの三者の間の関係によって、国共合作と内戦が交互に現実化する論理的な可能性を孕んでいたといえるのであり、それはやはり事実でもあった。そしてその間終止一貫して存在した敵対的矛盾は、中国人を奴隷化しようとする日本帝国主義と、中国人民に依拠した自立した統一中国を樹立しようとする中国共産党との間の対立であった。

ところで、国共合作と内戦が交互に展開される論理的な必然性と実際的な可能性が存在したことは以上の叙述で明らかとなったと思われるが、それでは如何にしてそれらの弁証法的観念が具体化され現実となったのであろうか。それは具体的な歴史を三者各々の立場から眺めてみることによって明らかになるだろう。

＊中国革命の展開＊
具体的展開過程

結論をひと言で述べるならば、国共合作及び中国革命における弁証法の論理を現実的に展開する契機となったのは、中国共産党、国民党、日本帝国主義という三者の間の、現実の舞台での生きた人間的な対立であった。

勿論、生きた人間的な対立というのは長期的に、あるいは後からふり返って眺める場合には、あるいは又それを対象化・概念化し得た場合には確かに和解し難い構成を持った論理的矛盾を内在的に孕んでいる、社会的諸勢力の衝突ということがいえるのであるが、それはいつでも、必らず、完全な形の論理的矛盾としてあらかじめ把握できるものではない。実際は、現実に存在する様々な矛盾を、自己の立場から解決しようとして懸命の試行錯誤をくり返しているうちに、次第にその矛盾や対立の論理的な基礎なり根拠なりが明らかになってくるのである。

つまり端的に言うならば、弁証法的論理に生き生きとした現実的な力と内容を与える契機は、現実の社会における生きた対立にさいなまれている現実的人間の生生しい対立の意識であり感覚である。

それは歴史を捉われない眼で具体的に分析するとき、おのずから明らかになる絶対の真理である。

また、更に言い換えるならば、現実感覚や現実的実践的価値感が歴史を動かす原動力であり、弁証法における運動の契機である。

抽象的・観念的には、三者は論理的な矛盾を孕んでいることによって、同時に互いに実践的に矛盾し合う矛盾が論理的な矛盾として表現される、という言い方もできる。

四　主要な矛盾と矛盾の主要な側面

同　61～62頁

複雑な事物の発展過程には、多くの矛盾が存在しているが、そのうち、かならず一つが主要な矛盾であって、その存在と発展によって、その他の諸矛盾の存在と発展が規定され、または影響される。

例えば、資本主義社会においては、プロレタリア階級とブルジョア階級という二つの矛盾する勢力が主要な矛盾であり、その他の矛盾する諸勢力、たとえば、残存する封建階級とブルジョア階級との矛盾、小ブルジョアとしての農民とブルジョア階級との矛盾、プロレタリア階級と小ブルジョアとしての農民との矛盾、非独占ブルジョア階級と独占ブルジョア階級との矛盾、ブルジョア民主主義とブルジョアファシズムとのとの矛盾、資本主義国相互のあいだの矛盾、帝国主義と植民地との矛盾、およびその他すべての矛盾は、この主要な矛盾の力によって、規定され、影響される。

☆　☆　☆　☆

概念弁証法と違って、実践的弁証法においては矛盾の序列や展開は必ずしも明らかではない。つまり、〝かならず一つが主要な矛盾である〟などとはいえない筈なのだ。

主要な一つの矛盾が明らかになるのは、何らかの形で状況が概念化され、概念弁証法の適用を受けてはじめて明らかになるのである。

例えば、ブルジョアジーとプロレタリアートという敵対的な、従って現代における唯一の最大の主要矛盾は人間社会を観察して、それを生産手段を持っている者といない者とに大別した結果としてはじめて、それが現代における唯一最大の矛盾であることが明らかになったのである。それまでは、ただ感性的・直感的にその区別を知っていたにすぎない。言葉としては支配階級と被支配階級という旧来の言葉がこの新しい状況に対しても漠然と使われていたのにすぎない。それが、共産党宣言から資本論に至るマルクスの認識＝実践活動において克服されたのだ。この過程では認識すること（つまり状況にあった新しい概念を創造すること）がそのまま最も革命的な実践活動でもあったということができよう。なぜなら盲目的で感性的な実践に方向を与えること。それこそは実践を一次元高度な実践に高める最も重要な創造的活動であり実践であるからだ。

つまり、〃一つの主要な矛盾〃とは状況をそのように概念化し得てはじめていえるということ。別の言い方をすれば、そのように概念化し得る状況の中にしか存在しないことだといえるのだ。

そして、毛沢東自身が後の方で述べている如く、その主要矛盾自身が実践の中で揺れ動くものだとするならば、〃一つの主要な矛盾〃とは言葉にすぎないということにもなろう。おそらく、それは状況を概念化し明らかにするために力のある〃一対の主要な概念〃とでも言い換えるべきではあるまいか。

確かに、ブルジョアジーとプロレタリアートの矛盾は今だに存在するし、それが現代社会を解明する主要な軸ではあるが、実践的には、それからは必ずしも導かれない場合が多いのである。

また、主要矛盾は他の特殊矛盾を規定すると述べているが、その間の矛盾の展開・移行過程は必ずしも明らかではない。

主要矛盾を全体性を孕んだ矛盾、特殊矛盾と部分的な矛盾と解すれば良く分るが、それはあくまでも概念弁証法的な理解に於てである。

たとえば、またブルジョアジーとプロレタリアートの対立に戻って論じれば、生産手段を持っているか否かということは、商品交換が全面的に支配する社会にあっては、商品を産み出すことができるかそれとも自ら商品となって商品交換の中に介入せざるを得ないかという決定的な対立を生み出す。そしてこれは社会全般にわたる対立であるから、全体性を孕んだ矛盾、全てを貫く矛盾とみることができる。

ところで、この主要矛盾に対して、ブルジョアジーと農民、農民とプロレタリアートの間の矛盾は特殊な部分的な矛盾といえるだろう。何故ならば、農業生産自体が非資本主義的な生産であって、むしろ封建的・中世的生産の残滓といえる面を持っているからであって、論理的には、資本主義的な矛盾の外に在るのであり、そこで矛盾が問題になるとしたら、現実的で実践的な種類の矛盾でしかない。

この矛盾の性質は、資本主義的な矛盾の累積と深化によっても決して（論理的には）資本主義的矛盾の中に埋没してその中の一項になり果てることのできない存在としてある。即ち、この矛盾は資本主義的矛盾のような概念弁証法的矛盾ではない、ということによってはじめて実践的・現実的矛盾といいうるのである。従って、農民を小ブルジョアなどという規定はあくまでも実践的な規定にすぎないのであって決して論理的なものではない。

ところで、実践弁証法には、このように、概念弁証法から見ると納得し難い、理解し難い矛盾が多々あるのであるが、それは全てを同次元に概念化することができないということと関連するのであろうし、他には概念的・論理的展開の中に時間を導入することの困難であると言うこともできるかも知れない。

国家という概念もまた概念弁証法では処理できない問題である。国家と国家が矛盾するなどということは、論理的にはとうてい言い得ないことであって、それを矛盾とみなすのは現実的・実践的判断である。

☆　☆　☆　☆

同　62頁

中国のような半植民地国では、主要な矛盾と主要でない矛盾との関係が複雑な状況を示している。

帝国主義がこのような国にたいして侵略戦争をおこなっているときには、このような国の内部の各階級は、一部の売国分子をのぞいて、すべて一時的に団結して民族戦争をおこない、帝国主義に反対することができる。そのときには、帝国主義とその国とのあいだの矛盾が主要な矛盾となり、その国の内部の各階級のあいだのすべての矛盾（封建制度と人民大衆との矛盾という主要な矛盾をふくめて）は、いずれも一時的に、第二義的で従属的な地位にさがる。

同　62～63頁

しかし、別の状況のもとでは、諸矛盾の地位に変化がうまれる。帝国主義が戦争によって圧迫するのでなく、政治、経済、文化などの比較的温和な形式によって圧迫するばあいには、半植民地国の支配階級は帝国主義に投降し、両者が同盟をむすび、共同して人民大衆を圧迫する。こうしたばあいには、人民大衆がしばしば国内戦争の形式をとって、帝国主義と封建階級の同盟に反対するのに対し、帝国主義は、しばしば間接的な方式をもって、半植民地国の反動派が人民を抑圧するのを援助し、直接的な行動をとらないので、内部矛盾の特別な鋭さがあらわれてくる。

P63～P64

国内革命戦争が、帝国主義とその手先である国内反動派との存在を根本からおびやかすまでに発展すると、……外国帝国主義と国内の反動派はまったく公然と一方の極にたち、人民大衆は他方の極にたち、これが主要な矛盾となって、その他の矛盾の発展状態を規定するか、あるいはそれに影響をあたえる。

しかし、いずれにしても、過程の発展のそれぞれの段階では、ただ一つの主要な矛盾が指導的なはたらきをすることは、まったく疑いがない。

このことからわかるように、どのような過程においても、もし多くの矛盾が存在していれば、のなかには、かならず主要なものが一一あって、指導的な、決定的なはたらきをし、その他のものは、第二義的で従属的な位置をしめる。したがって、どんな過程を研究するにも、もしそれが二つ以上の矛盾の存在する複雑な過程であるならば、全力をあげてその主要な矛盾をさがしださなければならない。

☆ ☆ ☆ ☆

この辺りには、毛沢東の、政治家としての偉大な現実主義が論理化されている。

だが、それだけに、哲学的な労作としての「矛盾論」の決定的な限界もここに集約的に現われている。

半植民地の中国に限らず、矛盾を実践的矛盾と捉える限り、毛沢東自身が述べていたように、世界はあらゆる局面に矛盾を学んでいる以上、矛盾の状況は複雑なからみ合いをみせる。だが、矛盾は本来論理的なものである筈であり、そうだとすれば半植民地だから複雑になるということはおかしい筈だ。

しかし、マルクス主義における弁証法は何よりもまず実践的でなければならないのであり、ブルジョアジーとプロレタリアートの矛盾はプロレタリアートによるブルジョアジーの打倒として止揚されなければならない。（実は、ここにすでにマルクス的な独断があるのだが、というのは、歴史は古い要素から新しい要素へと展開して行くことは確かなのだが、ブルジョアジーとプロレタリアートは矛盾概念であって、そもそも、どちらが新しくどちらが古いということはないのである。論理的に言うならばこの資本主義的矛盾の止揚は、対立し合う二大階級間の関連を通じて、それらの各々が新しい綜合を産むと言う形で行なわれるに違いない。ただ、政治的に、プロレタリアートの勝利の可能性が強いというのは、彼等が意識的に団結し得る可能性を持っているのに対してブルジョアジーは無意識的な、単なる結果としての、偶然的な団結でしか可能ではないということである。つまり、ブルジョアジーは競争の論理に貫かれている為に本来的に孤独なのである。）

それは、マルクス主義が歴史的主体の選択を重視する実践弁証法に貫かれていることを意味する。

現実的矛盾や対立にさいなまれている人間が、それを矛盾や対立として目覚し、更に、自らのヘゲモニーの下にての統一を図らんとするところにこの弁証法が成立する。

封建制度と人民大衆との間の矛盾が、最も実際的な矛盾であるような社会に、資本主義社会の分析から導かれた弁証法（その核は、言うまでもなく、ブルジョアジーとプロレタリアートとの矛盾）を適用しようとすると、資本主義の主要矛盾が否応なしに観念的な主要矛盾とならざるを得ない。（何故なら中国革命の現実過程は毛沢東的ゲリラ戦争、農民大衆を水とみなす戦い方なしには勝利できなかったとみられるから）

そこで、毛沢東はやむなく、矛盾を論理的に捉えるよりは、状況の変化に応じて主要矛盾が変るという実践的な現実的把握の方を選ばざるを得なかったのであろう。

だが、時に応じて主要矛盾が変化するという矛盾論の規定を論理的に純化し、押し進めるならば、およそ、主要矛盾における〝主要〟の意味がなくなってしまうであろう。全ての一時的な主要矛盾を貫いて更に大いなる主要矛盾（たとえばブルジョアジー対プロレタリアート）が存在するのだと言ってみたところで、それが現実を動かす主要矛盾となっていないならば、それは単に言葉の上での観念的な意味での矛盾でしかなくなってしまい、主要矛盾はおろか、およそ実践弁証法における〝矛盾〟ではなくなってしまうだろう。

そしてあらゆる特殊な過程には、それに応じた特殊な主要矛盾があるとすれば、あらゆる時点に於て異なった主要矛盾が存在するということになる。特殊な過程がどこからどこまで貫いているのかを決定するのはその特殊を特殊と規定する概念弁証法的矛盾である筈だが、そのような規定ができれば、それは単なる特殊ではなくて、一定期間を支配する必然的で一般的な過程と矛盾であるということになる。

つまり、マルクス主義的弁証法における唯一最大の矛盾であるブルジョアジー対プロレタリアートという矛盾を現実的な矛盾として考えられなかった毛沢東は、帝国主義と中国人民の間の矛盾を例え一時的にもせよ（実際はとうてい一時的とは考えられないのであって、むしろ中国共産党はそれを主要矛盾の一つと規定したが故に勝利し得たのだと思う。）主要矛盾と規定しなければならなかったのであり、それ故にマルクス主義弁証法を一貫して貫く筈の主要矛盾を或る一つの主要矛盾と規定せざるを得なかったのである。

マルクス主義の歴史的・概念的矛盾の規定が現実的実践によって意味を失ったという事実は、弁証法の矛盾の規定が、しょせんは概念によってではなく、現実社会を生きている人間の矛盾と対立から導かれるものだということを再度明らかにしたという意義を持つ。

それはマルクスが資本主義的矛盾を見出した時のことをふり返ってみれば更によく分るであろう。

だが、実践弁証法の矛盾の規定が、概念弁証法の矛盾の規定とは違って、生きた人間の実践的矛盾や対立にあるということは極めて重大な思想的帰結をもたらす。

何故ならば、そのような見方は、実践的な人間にとっての主要矛盾とは、いつでもあらかじめ他から与えられているものではなくて、歴史的創造主体である我々の生きた実践の中から見出されなければならないのであって、それはまた事柄の性質上、たえず不断に規定し直されねばならないものであるということが明らかとなる。毛沢東が言うように、マルクス主義の根本原理を「造反有理」におくこともできれば、我々は現実のなかにいつでも存在する矛盾をたえず摘出し、不断に克服し続けなければならない。ここには論理必然的に導かれた革命の不断化がある。

また、毛沢東が、いつでも主要矛盾を一つだけ見出し、それを克服することを最大の実践的課題にしなければならないと述べる時、それは論理的矛盾のことを述べているのではない以上（何故なら、論理的規定は実践的には意味を失うことがあるから。また、論理的矛盾はひとたび見つけられれば容易に了解しうるし見出せなければ逆にとても困難だから）我々は現在、どの勢力を非和解的な敵とみなすかということによる。論理的には、このことは、いつでも永遠に非和解的な敵が存在するのであって場合によれば武斗の必要も存在するということを排除することはできない。

これが単なる言いがかりではないことは、文化大革命における中国の激動を仔細に眺めてみれば明らかとなるだろう。

人が、革命を欲し、変革を行うのは、決して、勝利の後にも敗北がある筈であり、たえず古いものは新しいものに造反されて滅びていくという弁証法的真理を証明するためではないのであって、この一つの革命によって現在存在する矛盾や不都合をともかくも解消しなければならないと感じるからであり、それ故にこそ、闘争の後には調和と平穏が支配する或る理想的社会を想定することができるからである。

同　64頁

矛盾する二つの側面のうち、かならず一つが主要側面であり、他の側面は第二義的な側面である。主要な側面とは、矛盾において主導的なはたらきをしている側面のことである。事物の性質は、主として、支配的な地位をしめている矛盾の主要な側面によって規定されるものである。

同　65頁

しかし、このような状況は固定したものではない。矛盾の主要な側面と主要でない側面とは、たがいに転化しあい、それにしたがって事物の性質も変化する。

どんな事物の内部にもみな新旧の二つ側面の矛盾があり、一系列の曲折した闘争を形づくっている。闘争の結果、新しい側面は、小から大にかわり、支配的なものになる。古い側面は、大から小にかわり、しだいに滅亡するものにかわる。

………

このことからわかるように、事物の性質は、主として、支配的な位置をしめている矛盾の主要な側面によって規定される。

☆　☆　☆　☆

矛盾における新旧二つの側面とは、資本主義的矛盾においては、プロレタリアートという新しい面を代表するものとブルジョアジーという古い面を代表するものとの二つの側面である。

これは言うまでもなく、矛盾を実践的・歴史的に把握する見方であって、概念弁証法の見方とは異なる。

その一つの意味は、主要矛盾とその他の諸矛盾との間の序列が時間の流れの中でその位置を変えるのと同じように、矛盾の二つの側面の関係も時の流れに応じて変化して行く。

ただ、主要矛盾か否かという判断の基準は必ずしも明瞭ではなく、主観的とも偶然的ともみられる実践を通してしか決定し得なかったのに対して、この主要な側面の決定に際しては、かなり長期にわたっての一定の状況の存在の中で、一つの側面が他に対して量的ないしは質的に力を得ていくという必然の流れの中で判断することができる。その意味では、主要矛盾の決定に際してよりは、より主観性や偶然性を減じていることができよう。

しかしながら、厳密にいえば、この場合もやはりいつ、いかなる時点で矛盾の主要な側面が他の側面に対して支配的になったのかを決定する客観的基準はありえないのであって、最後は不可避的に実践的に（従ってまた、多分に主観的・偶然的に）決定されざるを得ないであろう。
特に、実践弁証法における矛盾が、多少なりとも人間的で血の通った対立であるいじょう、対立する二側面は互いに浸透し合い、また対立を超えた外的な要素の浸透を受けて互いに微妙に変化し合うことが考えられるのであり、旧い時代の主要側面がいつ新しい時代の主要側面に主導権を譲ったかを明らかにすることはひどく難かしい。

同　68頁
ある人は、ある種の矛盾はそうではない（つまり、対立する新旧二つの側面が転化し合うということ）と考えている。たとえば、生産力と生産関係との矛盾においては、生産力が主要なものであり、理論と実践との矛盾においては、実践が主要なものであり、経済的土台と上部構造の矛盾においては、経済的土台が主要なものであり、それら相互の地位は変化しない、と考えている。これは、機械的唯物論の見解であって、弁証法的唯物論の見解ではない。

たしかに、生産力、実践、経済的土台は、一般的には、主要な決定的なはたらきをするものとしてあらわれる。この点をみとめないものは、唯物論者ではない。しかし、生産関係、理論、上部構造などの側面も、一定の条件のもとでは、転じて、主要な決定的なはたらきをするものとしてあらわれる。このこともまた、みとめなければならない。

同　69頁
生産関係が変わらなければ、生産力は発展できないばあいには、生産関係の変化が主要な決定的なはたらきをする。レーニンがいったように、「革命的理論がなければ革命的運動もありえない」というばあいには、革命的理論の創造と提唱が、主要な決定的なはたらきをする。あること（どんなことでも同じであるが）がなされようとしていて、まだその方針、方法、計画、あるいは政策がないばあいには、その方針、方法、計画あるいは政策を確定することが、やはり主要な決定的なものとなる。政治、文化などの上部構造が経済的土台の発展を妨げているばあいには、政治や、文化の革新が、主要な決定的なものとなる。

☆　☆　☆　☆

ここで、毛沢東が述べていることをひと言で要約するならば、それは、矛盾の二つの側面は状況に応じて互いに主要な側面に転化し合うということである。ところで、概念弁証法に於いては、矛盾の二側面は、必ずしも、どちらかが主要でどちらかが主要でないかを決定することはできない。主要であるか否かを決定しうるのは実践的・現実的な判断であって、先にも述べたように、それには客観的に確定しうる基準などは存在しないのである。

たとえば、ベトナム戦争・安保問題・世界経済の危機などの諸問題を抱える現代日本の反体制勢力において、理論（言うまでもなく、全体性を持った革命的理論）を実践（個別的なエンタープライズ寄港阻止闘争など）のどちらかが主要な決定的なはたらきをするかといえば、極めて実践的な判断の問題になる。

俺は今こそ、革命的理論の創造が不可欠の状況になっていると思うが、全学連の諸兄はそう思わないであろう。おそらく、実力を以て反米・反ベト闘争を展開することこそが現時点での主要な決定的はたらきであるとみなすであろう。これはすぐれて実践的な問題であって、客観的にはどちらが正しいという断定を下すことはできない問題である。

また実践価値との関連で言えば、次のような問題もある。

たとえば革命闘争の過程に於いて、勝利と敗北という矛盾した局面はたえず転化しながら窮極的な勝利へと向かっていくのであるが、その場合部分的な勝利と敗北の局面は綜合としての勝利を前提にしているという意味で、一般的には勝利こそが主要な側面であるといえるだろう。だから、敗北は一時的な敗北であって、敗北が主要な側面となった場合にも

＊概念弁証法における勝利と敗北の構造＊

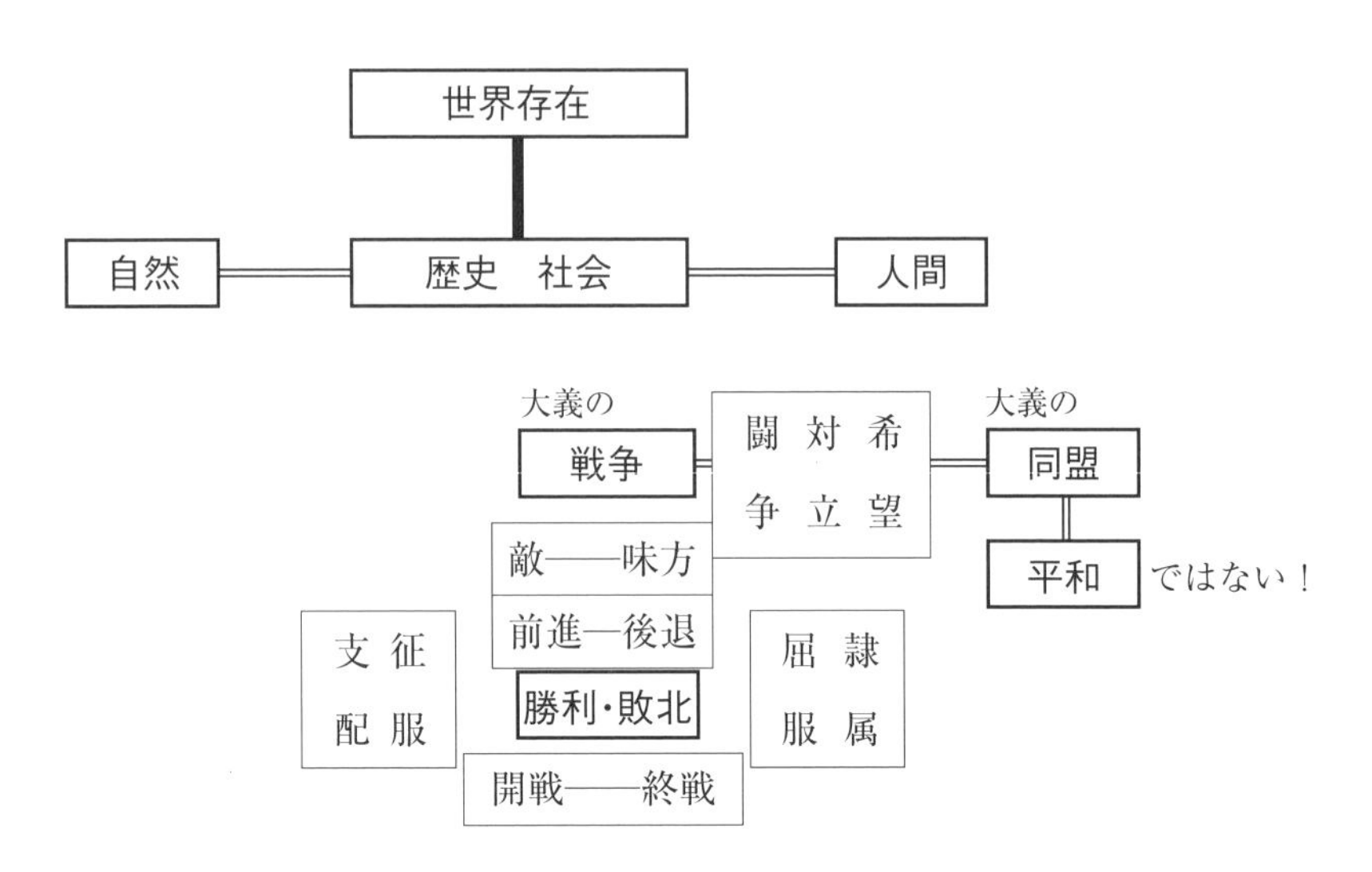

それはあくまでも勝利の一時的な挫折であり停滞であるとしか考えられ得ない。つまり概念弁証法における矛盾の二側面としての勝利と敗北の観念的同質性は存在しないのである。つまり実践弁証法においては敗北という観念は、勝利という観念の中に含まれた部分性であり従属的な位置に置かれた観念にすぎないのである。これを果たして〝矛盾〟と言いうるのだろうか。

全ての具体性・現実性・歴史性を捨象した概念弁証法のこの構造は徹底して観念的であり、従ってまた不変である。それは一切の価値判断からも自由であって、ただ論理的な移行過程と展開の内容を観念の組み合わせの形で呈示したものにすぎない。

ただ、この構造が客観的に示していることは、矛盾の二側面は互いに論理的に対等であって、ただ次元を異にする観念との間にだけ従属関係を持っているにすぎないという論理的な事実である。従って、敗北が失くなれば同時に勝利という観念自体もなくなるのであって、勝利―敗北の矛盾関係から成り立つ戦争という観念自体も失くなるのである。(註。戦争―平和はどうも矛盾概念ではないようにも思える。何故ならば、平和という観念は戦争という観念から導き出された否定概念であるようだからだ。何故なら、普通〝平和〟というときは、〝戦争の無い状態〟を指しているようだからだ。だから戦争の真の矛盾概念は〝和解〟もしくは〝結合〟あるいは〝同盟〟などという概念であると思われる。)

これらのことを今少しほり下げると、矛盾概念と対立概念とは必ずしも同じではないということが明かとなろう。矛盾概念は、その言葉が言葉として意味を持つ限り、永遠に消滅しないのに対して、対立概念は具体的・歴史的状況の展開に応じて意味を失ったり消滅したりするようだ。

そして、概念弁証法を司るのは矛盾概念であって実践弁証法の展開を司るのは対立概念である。当然のことながら矛盾概念は中に何らの価値をも含まないが、対立概念は実践との不可避の関連において、何らかの価値を導入せざるを得ない。

また矛盾概念は、没価値的で抽象的・観念的であるが故に、論理学の基本的な構造として、論理的な意味を持ち続けることができる。それに反して、実践的・価値的な侵蝕を受けざるを得ない対立概念は具体的で現実的な規定であるが故に、歴史的現実的展開という時間性の中でその存在はたえず批判され、克服されざるを得ない。そして、その批判と克服の基準は、その対立概念の実践的な有効性にある。そして、それを言いかえるならば、その時々の現実的・実践的要請を充たし得るような規定が不断に再生産されるということを意味している。

同 69～70頁

矛盾の特殊性の問題を研究するにあたって、もし、過程における主要な矛盾と主要でない矛盾、および矛盾の主要な側面と主要でない側面という、この二つの状況を研究しないならば、つまり、矛盾のこれらの二つの状況の差別性を研究しないならば、われわれは抽象的な研究におちいり、矛盾の状況を具体的に理解することができず、したがってまた、矛盾を解決する正しい方法をさがしだすこともできないであろう。矛盾のこれらの二つの状況の差別性または特殊性は、矛盾の力の不均等性である。世界には、絶対的に均等に発展するものはない。われわれは平衡論または均衡論に反対しなければならない。しかも、このような矛盾の具体的な状況、および発展過程における矛盾の主要な側面と主要でない側面との変化こそ、新しい事物が古い事物にとってかわる力をしめしているのである。矛盾のさまざまな不均等な状況の研究、主要な矛盾と主要でない矛盾、矛盾の主要な側面と矛盾の主要でない側面の研究は、革命的政党が政治的および軍事的における戦略戦術の方針を正しく決定する重要な方法の一つであって、すべての共産党員が注意しなければならないことである。

☆　☆　☆　☆

矛盾の一般論とは、いわば矛盾概念の概念弁証法的な取扱いのことであって、それによれば、世界は様々な次元の矛盾によって構成されており、自己充足的な世界運動の一般的な認識に他ならないといえよう。そこに於いては弁証法の出発点は存在としての意識それ自体の矛盾にある。そして出発点がそのような矛盾であるということによって、不可避的に認識は弁証法的な矛盾の普遍性の認識ということになる。そして弁証法的な意識の最高の段階である無内容なくり返しに至って、意識ははじめて自らの存在への確信（即ち信仰）という形において存在としての自己自身に回帰する。これがいわばヘーゲル哲学の体系であり、禅的世界の論理的な説明である。

かくの如く、矛盾の普遍性を、観念的・抽象的に述べる限りにおいては、人はただ透明な空無の中に投げ出されるだけであって何ら現実的実践的根拠（人を動かすという意味に於いて）を見出すことはできないのである。

それでは、何によって人は行為を為し得るのか⁉

それはひと言で述べれば、個別的・偶然的・特殊的矛盾や対立への固執である。人は自らを対象化し尽くせば、自らの意識を自己自身の存在に対する信仰として（意識の自己充足的な存在信仰として）引き受けざるを得ない。そしてその時、彼の個別的存在としての偶然性は、自らの感性を通じて、透明で偉大な空無である世界との結合を確信することができるのである。

つまり、自己の感性に自覚的に固執することこそが、弁証法的なニヒリズムを克服する唯一の途である。

従って、この弁証法的世界観と結合することのない特殊矛盾の研究は、いつでも必ず偶然的で恣意的な限界をまぬがれることはない。

つまり、意識の構造が本質的には信仰に他ならないという事実を知らない精神は、自らの信ずる価値の普遍性を疑うこともなく、主観的には幸せであるかも知れないが、迷妄によって人々に災を及ぼす。

また、本能的な特殊への（即ち感性への）固執は、自らを相対的に眺める眼を持たないが故に、必然的に〝関連〟という世界を成り立たせている根本的な契機を知ることができず、美と偉大さとから完全に断たれている。

人間の進歩を、美と偉大への上昇と見るならばそれらの者達は人間の歴史から価値を奪う者たちである。

五　矛盾の諸側面の同一性と闘争性

同　70頁

同一性、統一性、一致性、相互浸透、相互貫通、相互依存、相互連結、あるいは相互合作など、これら異なった言葉は、すべて同じ意味であって、次の二つの事柄を意味している。その一つは、事物の発展の過程のうちにあるそれぞれの矛盾の二つの側面が、それぞれ、自己に対立する側面を自己の存在の前提としており、双方が一つの統一体のうちに共存しているということであり、もう一つは矛盾する双方が、一定の条件に従って、それぞれ、その反対の側面に転化するということである。この二つが、同一性と呼ばれるものである。

同　71頁

もともと、矛盾する各側面は、孤立的には存在できないものである。それと対をなしている矛盾のもう一つの側面が存在しなかったら、それ自身も存在の条件を失ってしまう

同　72頁

もっと重要なことは、矛盾している事物がたがいに転化しあうということである。すなわち、事物の内部の矛盾する二つの側面は、一定の条件によって。それぞれ自己と反対の側面に転化し、自己に対立する側面がしめている位置に転化していくのである。これが矛盾の同一性の第二の意味である。

☆　☆　☆　☆

そして毛沢東は、矛盾の同一性の第一の意味における例として、「生と死」、「上と下」、「不幸と幸福」、「順調と困難」、「地主と小作人」、「ブルジョア階級とプロレタリア階級」、「帝国主義の民族的圧迫と植民地・半植民地」などをあげる。これらの矛盾を包含する同一性はしたがって、順に、生物学的人間、垂直的（位置）関係、境遇、封建的農村社会、資本主義社会、帝国主義国家関係等であるといえるだろう。あるいはまた、最後の二つは〝階級〟、という同一性と〝国家〟という同一性と言い換えることができるかもしれない。

このことは、確かに正しい。

ただ、問題があるとすれば、毛沢東は性質も次元も異なった矛盾を、ただ並列的に並べて論じていることであろう。勿論、矛盾を同一性の存在を前提にしているという、純論理的なことだけを述べようとしているものなら、これで十分である。

もし、問題が残るとしたら、それらの性質の異なる矛盾の間の関係が、果たしてどのような論理で結

合されるのかということだろう。矛盾の互いに対立し合う二つの側面は〝矛盾の同一性〟というこの弁証法的論理で結合されるが、次元を異にする矛盾同士は果して如何なる同一性の中に置かれているのであろうか。例えば、生死という矛盾と上下という矛盾などはほとんど何の関係もないとしか言えないだろう。そこで、もし「世界のすべての事物の過程及び人間の思想には、一つの例外もなく、このような矛盾性を持つ諸側面が含まれている。単純な過程には、二つの側面からなる矛盾が一つしかないが、複雑な過程には二つの側面からなる矛盾が二つ以上もある。それぞれ二つの側面からなる諸矛盾の間にも、また矛盾がある。矛盾はこのように客観世界のすべての事物および人間の思想を形成しており、そしてそれらに運動を起こさせているのである。」（同71頁）と言えるとしたら、それらの矛盾の間に次元の違いに応じた序列をつける作業は必ずしも容易であるとは思われない。概念弁証法の場合は、純論理的・観念的に、概念相互の間の大きさを比較することによって比較的容易にその間の序列がつけられるが、（もっとも、そうは言っても、逆に概念弁証法の場合は、全く論理体系を異にする矛盾の間はどうにも結びつけようがないという欠点を持つし、更に言うならば、概念弁証法が純粋な論理の展開過程として開示されるまでは、やはり実践とか現実を対象化し、それを適当な概念によって、その弁証法の中に位置づけるという作業を行わなければならないのであって、機械的に単純に概念弁証法が展開するわけではない。）実践弁証法における矛盾（＝対立）に序列を与え、論理的整序を行うことは、実践価値による影響と不可避的に受けざるを得ないことによって、極めて困難なこととなろう。もっともここでは、概念弁証法の際に困難であったこと（つまり、異次元、論理的に無関係な矛盾の間に同一性を見出すこと）が、逆にある特定の実践価値の達成という実践的・現実的な同一性の中でさほどの困難も覚えず（というのは勿論、実践的・現実的な意味においてであって、論理的・観念的には明らかに何の必然性もない、恣意的かつ偶然的決定であることに変わりはない。）為され得るであろう。

さて、次に毛沢東が矛盾を同一性の第二の意味としてあげている、矛盾の各側面の転化の例を具体的に見てみよう。

同　73頁

なぜここにも同一性があるのか。みたまえ。被支配者であったプロレタリア階級は、革命を通じて支配者に転化し、もと支配者であったブルジョワ階級は、被支配者に転化し、互いに相手が求めていた位置に転化してゆく。

（中略）

中国の近代史のある段階で、一定の積極的な働きをしたことのある国民党は、それに固有の階級性と帝国主義の誘惑とのために（これらが条件である）、一九二七年以後、反革命に転じたが、また、中国と日本との矛盾の先鋭化及び共産党の統一戦線政策によって（これらが条件である）、抗日に賛成しないではいられなくなった。

（中略）

われわれが実行した土地革命は、土地を所有する地主階級が、土地をうしなった階級に転化し、土地をうしなっていた農民が、逆に土地を手に入れた小所有者に転化する過程であったし、今後もまたそうであろう。持つことと持たないこと、得ることと失うこととは、一定の条件によって、つながりあっており、両者は同一性を持っている。社会主義の条件のもとでは、農民の私有制は、さらに社会主義農業の共有性に転化するだろう。

（中略）

同　74頁

プロレタリア階級の独裁あるいは人民の独裁を強くするのは、まさにこの独裁をなくし、どんな国家制度もない、より高い段階に進む条件を準備するのである。共産党を作りかつ発展させるのは、まさに、共産党及びすべての政党制度をなくする条件を準備するのである。共産党の指導する革命軍を創設し、革命戦争行うのは、まさに、戦争を永遠になくする条件を準備するのである。これらの多くの相反するものは、同時に、相成るものである。

よく知られているように、戦争と平和はたがいに転化し合うものである。（中略）階級社会においては、戦争と平和のような矛盾した事柄が、一定の条件のもとでは同一性をそなえているからである。

☆　☆　☆　☆

毛沢東はここで、矛盾の二つの側面が、一定の条件の下では互いに他に転化しうるから、矛盾の二側面を支える同一性があるというのだが、これはいわば〝純粋観念的に見れば〟矛盾の二側面の地位（論理的な地位）に変わりがないということを述べているのであろう。

だが、革命を通じて被支配が支配者に転化するということでその説明を行おうとするのは極めておかしい。なぜならば　被支配者としてのプロレタリアートが革命を通じて支配者たるブルジョアジーから権力を奪取して、相互の地位を逆転させるという歴史的で時代的限定を受けた（それだけに、現実的かつ実践的な意味を持ちえたのだが）実践的行為が、支配――被支配関係の相互転化という極めて一般的な、それ故に全く抽象的で観念的な規定となってしまっているからである。

このような表現の中に、毛沢東がこの「矛盾論」で再三にわたって繰り返して見せる混乱が見えるのである。言うまでもなく、その混乱とは、彼が弁証法それ自体に秘んでいる矛盾である、概念弁証法と実践弁証法の対立を自覚していないことから来るものである。

例えば、〝戦争〟という概念の中に含まれる矛盾概念である〝勝利―敗北〟は他のもう一組の矛盾概念である〝敵―味方〟との関連の中で眺めるとき、敵にとっての勝利―敗北は、味方にとっては敗北―勝利であって、敵にとっての敗北―勝利よりは、味方にとっては勝利─敗北である、という概念弁証法における二側面の転化が見られるのであるが、毛沢東は最初の例において、支配─被支配の相互転化を述べる時、丁度今の勝利─敗北の例と同じような観念的な述べ方をしているのである。

被支配─支配が、支配─被支配に転化しうるということを概念弁証法風に述べる時、毛沢東は極めて重大なこと、つまり革命は階級対立の止揚なのではなくて、単なるその転倒に過ぎないということを無意識のうちに述べていることになる。確かに、ブルジョアジーが完全に消滅しない限り、プロレタリア独裁という過渡期の長い階級対立の状況を通り抜けねばならないのは事実であろうが、革命によっても消滅しえない階級対立を果たして如何なる力が止揚しうるのか、少なくとも論理的には何事も明らかになっていないと言い得るのである。

つまり、階級社会の止揚とプロレタリア革命とは論理的にはいささかも結びつかないのである。

それを無理でも結びつけるためには、生産力の発展という客観的法則性という〝機械仕掛けの神〟の力を借りるか、革命はそれ自体自己変革であるとする精神主義をよりどころとするかしなければならないであろう。しかし、そのどちらも問題の解決のためには何らの力にもならない。なぜなら、生産力の発展という時代を動かす力が真に客観的で必然的な力であるならばそれは人間社会の階級対立という人間的で主体的な課題を人間が解決する為には何の力にもならないだろうからであり、また革命自体が人間の自己改造であり階級対立止揚の主要課題であるとするならば、逆に権力奪取それ自身の重要性が見失われることになるのではあるまいか。ともかく、確実に言えることは、権力奪取、もしくは武闘は、権力の止揚や闘争の止揚とは論理的に全く無縁だという事実である。

要約すると、資本主義社会における支配者と被支配者が、社会主義社会においてはその地位を逆転すること（もしくは、支配者と被支配者の地位を逆転することによって社会主義社会に転化すること）を矛盾の二側面が互いに転化するという意味で、矛盾の同一性というならば、そこには資本主義から社会主義への転化、すなわち革命の意義のかけがえなさが失われて、支配─被支配という矛盾概念の不変性、もしくは普遍性が明らかになるだけではあるまいか。

また、国民党が孕んでいる矛盾、即ち、日本帝国主義との対立の側面と、中国の被支配階級との対立という側面が、一定の条件の下で互いに転化し合うことができるということも矛盾の同一性といえるという。

だが、このことは、先にも述べたように、概念弁証法における矛盾概念の双方が互いに弁証法的結合と構成する要素として論理的に同等であるということを意味しているのにすぎないのだ。従って、毛沢東のようにそれを実践弁証法に当てはめると、何ら実践的意味のない観念的説明に過ぎなくなる。それのみか、時代の流れの中で矛盾の二側面が互いに転化し合いながら永遠に展開するということを、客観的論理的に述べているのであって、矛盾の止揚という実践弁証法の主要な契機が失われるのである。（言うまでもなく、概念弁証法においては、概念同士が矛盾し合いながら統一しているのであって、矛盾と止揚は一つの全体性の中で融合しているのである。ところが、実践弁証法においては、対立は歴史的なものであり、また空間的なものであって、いつでもその対立の地位の転化及び対立の一方の消滅としての対立の止揚こそが弁証法を展開させる中心的な契機なのである。）

従って実践弁証法においては、毛沢東の述べる第二の意味の同一性は、彼自身の主観的意図に反して、対立の止揚が論理的にはまったく不可能であるということ、即ち、（矛盾の二側面の相互転化における同一性を、それだけ切り離して語ることは）一切の統一や総合、（従っておよそ全ての人間的理想と目的と）から、我々の生きている矛盾が、一般的に支配するこの世界は全く切り離されているというニヒリズムを開示することになるのである。

つまり、矛盾概念を相互が互いに論理的に同等であるという概念弁証法の構造と、対立概念が時に応じて相互に地位を入れ替えるという実践弁証法の構想とは、その構造を全く異にするということを知るべきなのである。対立概念の一方は他方に対して、実践的には決して同等な転化を為し得るものではなく、それをするためには歴史的・具体的な実践を捨象しなければならないのである。

概念弁証法の没時間性と実践弁証法の時間性の問題へと、これは転化できる問題である。

支配―被支配という関係は純論理的に見れば明らかに無時間的な概念（自然史ではなく、人間的歴史の中で見た限りだが、）であるのに対して、プロレタリアートがブルジョアジーによって抑圧されているというのは明らかに歴史的・時間的概念規定である。

マルクス主義者はこの区別をいい加減にしか考えていないが、実は弁証法の問題を考える場合の中心的な課題だろう。

最後に、革命戦争を行うのは、戦争を永遠に失くすためであるという、よく言われる言い訳について述べよう。この命題は、弁証法的に考えるならば、自らの勝利によって戦争の原因であった、相互に対立しあう集団を解消するということを、つまり対立の一方から敵としての要素を完全に取り除くということによって、対立そのものを止揚し得るという考えである。

ところが、戦争という人間存在を賭けた形で敵―味方の関係を解消するためには、純論理的に見るならば敵の完全な抹殺ということによってしか、この対立関係を止揚することができないであろう。

ところが、人間存在は対立する対象の抹殺によってしか自由を得られない側面があると同時に、他方では互いに結合することによってはじめて実現しうるような自由をも希求せざるを得ない存在である。従って、歴史が教えているように、戦争においても敵を完全に抹殺し終えた例はそれほど多くはない。そこで現実には、〝勝利〟という人間的満足を与え得る、対立の一側面に安足することによって長期的な〝戦争〟状態は残存させるということが一般的であった。

従って、対立し合う集団の間の戦争状態を止揚する爲には、敵の抹殺よりはその集団そのものの解消と改組の方が実際にはずっと現実的であったわけである。

そこで、戦争を無くす爲の戦争というものはそのような、対立しあう集団をより大きな集団の中に解消するという意味に於いて過去の歴史の中でも確かに爲されたことがある。

日本史に例をひけば、戦国時代の争乱を収拾した織田信長の戦争こそは、そのような意味を持っていたと言い得よう。それが最終的に完成されたのは徳川家康における関ケ原の戦いであったといえる。

だから、毛沢東が戦争をなくすための戦争という場合、彼自らが中国大陸を舞台にして行った反帝独立闘争を指しているとしたら、まったく正しいが、それ以上に、一般的な意味での戦争を指して、あるいは世界革命戦争などの意味での戦争を指しているとすれば問題である。

なぜなら、同じ〝戦争〟という言葉を使うにしても、それが指し示す具体的な内容は様々な場合や次元に応じて異なるからだ。

つまり、国家間戦争というものもあれば国内戦争もあるし、国家ブロック相互の世界戦争もある。それら次元の違った戦争が複雑に絡み合うのが現代の戦争であって、毛沢東が無くそうとしている戦争とは一体どの戦争なのかを分からないし、彼が戦争を解消するために中心的に戦おうとしている戦争がどのような戦争であるかも分からない。

全ては、世界の混乱をいかに収拾するかという世界思想の問題に係わりを持ってくるのである。

そして毛沢東の世界政策は、世界の農村である後進国の革命が、世界の都市である先進国を包囲してやがて世界の革命を実現するというのであろうが、それは何ら世界の国家対立を止揚するやり方ではなくて、ただ各国における社会主義的政権の樹立を期待しつつ、社会主義が数的に増大をすることだけを目的にしているにすぎない。

　そしてその際にも、中国解放の闘争で持ち得た毛沢東の指導性が、世界革命においては使い得ないという事情がある。国家という権力的な枠がそれを阻んでいる。そして、それは単に権力的な枠にすぎないのではなくて、経済的・文化的な条件の相違、更には対立という深い基礎を持っているのである。

　マルクス主義者は、革命を世界革命として実現し得る思想的な内容を何ら保持していないのであって、あるいはただ無内容で観念的な「万国のプロレタリアート団結せよ！」という垢じみたスローガンでしかない。

　このような思想からは、世界変革のエネルギーは決して生まれはしない。

　またプロレタリアート独裁を強めるのは、階級社会を止揚し国家制度という権力機構を打倒するためだと述べるが、それはレーニンの国家論にも言えるように、対立の止揚を観念的に全く無内容に叫んでいるにすぎないのだ。この言葉が意味を持つのは、事実を論理的に正しく伝えているからではなくて、美しい詩的な空想を弁証法的な表現様式によってあたかも確実な真理であるかのように印象づけ、マルクス主義者の美意識を刺激して行動へのてことし得たからである。しかしそのことは、マルクス主義を冷静で豊かで穏やかな思想から、教義じみた、また信仰めいた盲目的閉鎖的思想へと一方歩みを近づけたという意味しかない。これでは、公明党の教義や思想を笑ったり軽蔑したりなどできる道理ではない。

　真実を明らかにするためには、人間的自由、支配―被支配、権力機構、闘争と調和、自己克服と教育、等々の観念をより深く研究し更にはそれら相互の間の関連を追及する必要があるだろう。

　ただ、今言えることはと言えば、諸藩の対立を国という器の中へ解消することはできるが、階級の対立を同じように解消することはできないだろうということである。二者の間に働く弁証法の論理が全く違うように思えるのだ。〝階級〟が規定された概念であるのに対して、(即ち、観念性を払拭しきれない面を持っている)〝藩〟は、ある現実的な場につけた名前と言えるからだ。

同　74〜75頁

「なぜ、人間の頭脳はこれらの対立物を死んだ、硬直したものとして見ないで、生きた、条件的な、動的な、たがいに転化しあうものと見なければならない」をか。それは、客観的な事物が、もともとそうなっているからである。客観的な事物のうちにある矛盾する諸側面の統一あるいは同一性は、もともと、死んだものでも、凝固したものでもなく、生動的な、条件的な、可変的な、一時的な、相対的なものであり、あらゆる矛盾は、みな一定の条件によって、その反対の側に転化するのである。このような状況が人間の思想に反映したものが、マルクス主義の唯物弁証法的世界観である。

(中略)

一定の条件のもとでの矛盾の同一性というのは、我々のいう矛盾が現実的な矛盾、具体的な矛盾であり、矛盾の二側面の総合転化もまた現実的、具体的であるという意味である。

(中略)

神話や童話の中の矛盾を構成する諸側面は、具体的な同一性ではなくて、幻想的な同一性に過ぎない。これに反して、現実の変化の同一性を科学的に反映するものが、マルクス主義の弁証法である。

☆　☆　☆　☆

唯物弁証法における矛盾は、何よりもまず実践的で現実的な矛盾であるに違いないから(なぜなら世界を変革する主体的実践の中に現れてくる矛盾だけが、そこでは問題になるからだ)、とりも直さず可変的で、相対的で、一時的な矛盾である筈である。そしてそのことは、それらの矛盾が一定の条件のもとで、初めて矛盾としての意味も持つということを示している。

従って、実践弁証法において矛盾を見出すということは、とりもなおさず、その矛盾を矛盾として意味あらしめている歴史的・特殊的条件を明らかにすることでもある。

だが、このことは、前にも述べたように不可避に次のような困難を伴なわざるを得ない。それは、対立を見出しそれを克服してゆくべき根拠が人間存在の直接性であるが故に、対立概念の設定とその克服には、何らの客観的な法則性があり得ないということであり、概念規定の出発点に限りない恣意性と主観性がつきまとわざるを得ないということである。つまり、実践弁証法に於いては、およそ客観的に否定しえないような揺るぎない真理などは何も存在しないということなのである。それは、唯物弁証法の真理自体が実践的にはニヒリズムとほとんど同義であることを見ても分かるだろう。

ところで、現実を背景にして、実践的な対立概念が見出され、それに実践的・現実的矛盾として意味をもたせている歴史的条件が規定されたとしても、その概念規定の中には、必ずや、歴史性や可変性を越えて普遍性と没時間性を持った概念弁証法的な概念規定が含まれているに違いないのである。あるいは、実践的な対立概念ではあっても、それが、論理を用いた概念規定である限りは、概念弁証法的な客観的かつ普遍的な概念規定の枠を出ることはできないのではないかということである。

更に言い換えるならば、実践弁証法における対立概念は、如何なるやり方で概念規定をしようとも、論理的にはあくまでも閉ざされた信仰の形式をとらざるを得ないのではないかということである。

概念弁証法は、始元も目的もなく、ただ観念的・論理的に概念の関係を明らかにして、自己完結的な世界を叙述することで客観的に空なる世界を開示するのに対して、実践弁証法は自らを展開する契機としての人間存在の直接性（世界の中を区別するという運動によって物事の間に価値序列をつけ、意味づけを与える働き）を運動としての弁証法の始元と為さねばならない。そしてこの運動は、絶えずその可変的で偶然的な概念規定を克服してゆく過程を通して、客観的には概念弁証法の概念の普遍性を開示するという意味を持つ。

　ところで、自己克服という契機を運動の始元とするならば、究極目的は論理必然的に信仰としての自己充足であるはずだ。

同　76頁

　なぜ卵は鶏に転嫁できるのに、石ころは鶏に転化できないのか。なぜ戦争と平和との間には同一性があるのに、戦争と石ころとの間には同一性がないのか。なぜ人間は人間を生むことができて、ほかのものを生むことができないのか。それは、ほかでもなく、矛盾の同一性ということが一定の必要な条件のもとでのみ存在するからである。一定の必要な条件を欠くならば、どんな同一性もない。

☆　☆　☆　☆

　石と砂とは同一性をもっているが、石と卵とは同一性を持っていないということはある意味では正しいが、ある意味では正しくない。石と砂は鉱物としての質において同一であるがその空間的大い（ママ）さに於いて差異性を持っているにすぎない。だから、石と砂とは質的同一性と量的対立の中にある矛盾（対立）概念とみてよい。ところが、石と卵をそのような同一性の中に置くことはできない。そこでそれらの間には同一性がないのであるが、それでは完全に何らの同一性もないのかといえばそれは正しくない。何故なら、ある国の圧制者に反対して群衆が政治的意思表示の手段として、彼に投げつけるべきもの、としては石も卵もトマトなども確かにある同一性として存在しているからである。

　その場合には、卵と鶏の同一性よりは、石と卵の同一性の方が明らかに有意味な同一性であるといえる。

　戦争と石ころの間には、何よりも決定的な概念上の次元の違いがあるように見える。つまり、石ころが具体的なある物（手に取って見ることのできるある物）の名前であるのに対して、戦争という概念は、すでに、その中に様々な概念を包含しているより複雑で矛盾に満ちた概念であるということができる。（従って、二つの間に関連を見いだそうとすれば、必然的に石ころという概念は戦争という概念の中に包含されるという仕方でしか為し得ないといえよう。逆の場合があり得るとしたら、それは単に比喩的、空想的になし得るだけである。——例えば、石と石が戦争をしているとか、石の中で何かが戦争をしているとかいう風に。）

だが、このような決定的とも見える論理的、概念的次元の違いにもかかわらず、その間には絶対に何らかの同一性も成り立ち得ないとしたら、これはやはり間違っているとしか言えないだろう。

なぜならば、古代石器時代の人間同士ならば、石ころは、戦争と密接な概念である武器の具体的な内容として、戦争という概念に対して、確かに部分的ではあるが（そして上位、下位の概念的な次元の違いはあるが、）一定の同一性を持ちえないことはない。勿論、この次元の違いの故に同一性はないということは確かなのだが、密接な関連はつけ得るし、最後の手段を使うならば言葉、概念、存在としての同一性は之を否定しようがないのである。（この同一性には何ら現実的な意味がないように思えるかも知れないが、実際はそれどころか、直接性との関連において極めて重要な同一性なのである。）

同　76頁

なぜロシアでは、一九七一年二月のブルジョア民主主義革命が同年十月のプロレタリア社会主義革命に直接つながったのに、フランスでは、ブルジョア革命は社会主義革命に直接つながらず、一八七一年のパリ・コンミューンはついに失敗に終わったのか。なぜ蒙古や中央アジアの遊牧制度は、社会主義に直接つながったのか。なぜ中国の革命は、資本主義的の前途を避けて社会主義に直接つながることができ、ヨーロッパ諸国が通った歴史の古い道を再び歩む必要がなく、ブルジョア独裁の時期を経る必要がないのか。それはほかでもなく、その時の具体的な条件によるものである。

☆　☆　☆　☆

これは、今まで述べてきたことを単に具体的な例をひいて繰り返したにすぎない。

ただ、〝一定の必要な諸条件〟が備われば、特定の矛盾が生じ、互いに二側面を転化し合うというその〝一定の必要な諸条件〟を決定するのは、実践弁証法を動かす契機としての直接性であり、社会的人間の感性的決断であり実践であるということを述べるに止めよう。

人間の実践は、即ち、あらゆる概念規定を生み出し得る。なぜならば、それこそが一切の概念規定の根拠であるからだ。更に言うならば、実践に支えられない観念は観念として生き続けることさえできない。

同　77頁

すべての過程には初めと終わりがあり、すべての過程はみな自己の対立物に転化する。すべての過程の普遍性は相対的であるが、ある過程が他の過程に転化するという変動性は絶対的である。

註　傍線引用者

☆　☆　☆　☆

「過程」という概念自体、極めて実践的な概念であって、少なくとも観念弁証法の用語ではない。その「過程」には、確かに初めと終わりがあるが、その「過程」自体が次の「過程」に転化するというように、それは同時に永遠に続く連鎖ではないのか。

そのような「過程」の初めと終わりは、明らかに便宜的・恣意的な実践価値との関連の中でのみ一定の条件的・可変的意味を持つであろう。

時間性を孕んだ「過程」が、一般的には変動性を特質とするというのは当然すぎるほどの事実（論理的帰結）であるが、この変動の絶対性と「造反有理」が結合しているところに、毛沢東的弁証法の持つニヒリズムが印象づけられて仕方がないのである。もっとも、自らをマルクス主義者と規定する毛沢東は、マルクス主義の持つ信仰めいた共産主義社会像によって辛うじてニヒリズムを免れているようだが、それだけに彼の実践弁証法は盲目的な狂信的精神革命の匂いが強いのである。

「造反」の絶対化と自己目的化は、論理必然的に彼自らの実践と思想とを克服して進むことになる筈であり、「造反有理」を自己の実践の原理とする毛沢東は、自らの存在と思想を克服する運動を自ら肯定せざるを得ないという論理的なディレンマに立たされる可能性があるのである。

それが現在なされないのは、中国の「造反」が真の「造反」ではないからである。

同　77頁

どんな事物の運動も、皆二つの状態、すなわち、相対的な静止の状態と著しい変動の状態とをとる。二つの状態の運動は、いずれも事物の内部に含まれている二つの矛盾した要素が、たがいに闘争することによってひきおこされる。事物の運動が第一の状態にあるときには、それは、ただ量的に変化するだけで、質的に変化しないので、静止しているような姿をあらわす。事物の運動が第二の状態にあるばあいには、それは、すでに第一の状態での量的な変化がある最高点にたっして、統一物の分裂をひきおこし、質的な変化を生みだすので、著しい変化の姿をあらわす。

中略

同　78頁

事物は、すべて絶えず第一の状態から第二の状態に転化しつつあり、その際矛盾の闘争は、このどちらの状態のうちにも存在しており、そして矛盾の闘争は第二の状態をへてその解決に到達するものである。だから、対立物の統一は、条件的、一時的、相対的であるが、対立物がたがいに排除しあう闘争は、絶対的である。

中略

一定の条件があってはじめて矛盾の同一性がつくられるのであるから、同一性は条件的な相対的なものである。（中略）矛盾における闘争は、過程を初めからしまいまでつらぬいているとともに、一つの過程を他の過程へ転化させるものであり、矛盾の闘争はいたるところに存在するから、矛盾の闘争性は、無条件的であり、絶対的である。

中略

闘争性は同一性のうちでのみ存在するから、闘争性がなければ、同一性はないのである。

同一性の中に闘争性があり、特殊性の中に普遍性があり、個別性の中に共通性がある。レーニンの言葉をかりていえば、これを「相対的なもののうちに絶対的なものが存在する」というのである。

☆　☆　☆　☆

〝一定の条件があってはじめて矛盾の同一性がつくられるのであるから、同一性は条件的な相対的なものである〟という言葉があるが、これは同一性を実践的な対立の統一とか調和としか見なさない観点である。つまり、ここで言う毛沢東の同一性は彼自身が先のところで述べていた概念弁証法的な意味での同一性と矛盾する内容を与えているのである。

概念弁証法における矛盾概念は、弁証法的総合概念という同一性の中に、それを構成する不可欠の矛盾契機として論理的同一性として存在することができるのである。そして、弁証法を成り立たせる不可欠の契機としての矛盾概念を対立の側面から見るならば、それはあきらかに解消不可能な絶対的なものであり、互いに他に転化し得るという論理的同一性によっても決して解消しえない対立である。だが、同一性はただ対立の側面にだけあるのではなくて、矛盾概念を矛盾概念として許容し得る論理的な総合としての大いなる同一性も存在するのである。矛盾を矛盾として包含しながら、しかも統一であるという弁証法の全体構想（全体性）から見るならば、対立・矛盾が絶対的であると同じくその統一と同一性も絶対的であるといわねばならない。

　これがすなわち、対立を孕んだ秩序（＝政治）があらゆる概念化しうる存在の間で絶対的条件であるゆえんである。あらゆる矛盾と対立はそれらを包含する統一・秩序から抜け出て超越に走ることはできないのである。これを意識＝存在論の視点からいえば、意識が自己完結的な信仰（存在確信）として初めて存在たりうるということにつながる。

　ともかく、毛沢東の先の言葉は、弁証法における二重の同一性のうちの低次の同一性を取り出して、それに〝同一性〟という言葉を与えて、弁証法的全体性としての同一性を忘れたことから来る誤りである。

　だから、彼に於いては弁証法が闘争の絶対性だけを強調し、「造反有理」の絶対化という実践的ニヒリズムを導かざるを得ないのである。即ち、彼においては社会から弁証法的な統一体としての、〝秩序〟の面を脱落させ（言い換えると自己充足的な権力機構の否定ということになるのだが）〝運動〟としての 永遠の対立に重点を置くのである。

　しかしそれは、中国という国家機構そのもののア・プリオリな価値をも否定、〝運動〟が国家の止揚にまでおもむくという論理的な可能性をも持っているのだが、実際には毛沢東自身が自らの実際には毛沢東自身が自らの弁証法の驚くべき破壊性（先ほどから実践的ニヒリズムと呼んでいることの実践的意味）に完全には気が付いていないことによって、そのことはまだ単なる可能性に止まっている。実践的ニヒリズムと呼んでいることの実践的意味）に完全には気が付いていないことによって、そのことはまだ単なる可能性に止まっている。それはおそらく、マルクス主義自体に内在する信仰教義的な側面（つまり、共産主義社会というイメージがそれである）を毛沢東自身が濃厚に保持しているということによってだと思われる。

　つまり、永遠の相克という彼の弁証法がニヒリズムの渕に至らないで、「造反有理」という言葉に見られるような、倫理観を残存させている理由は、(倫理観こそは人間が実践に意味=価値を附与している何よりの証拠であり、それゆえに自らの行為に実践的自己克服という意味を持たせて、永遠に行為を展開することを徒労とは感じさせない力なのである）共産主義社会というイメージの中に存在する神的な偉大と美とを理想として確信し得ているからではあるまいか。

だが、弁証法をち密に理解するならば、その千年至福的なイメージは単なる幻想でしかないことが明らかとなる筈だ。そして、その時にこそ、毛沢東の「矛盾論」が実践的なニヒリズムの書として読み直される時が来るに違いない。

ともかく、現在のところ毛沢東は共産主義社会のイメージに支えられて完全には自らの思想を実践するには至っていない。つまり、弁証法が支配する客観世界の中に闘争の絶対性を見て、一切の秩序や統一を偶然的なものとみなす彼が中国という統一体をその実践の出発点にしているように見えることである。中国に固執しているように見えるのは、単に戦術的な意味においてにすぎないと当然の反論が返ってくるであろうが、それならば現時点における中国国家機構の改変は如何なる意味を持つのであろうか。

私がいま問題にするのは、社会を〝運動体〟とみる側面を強調しすぎるということをでもなければ、〝国家〟の枠に依拠し過ぎるということでもない。それらは、各々批判されるべき内容を持っているが、問題はそれらの互いに矛盾しあう思想的観点がどうして同時に採用されるのかという理由である。それもとりわけ、毛沢東の哲学との関連において明らかにしたいということである。

彼におけるそのような矛盾は、彼の思想自体に秘む矛盾、即ち、革命を自己目的化する論理の上に立ちながら、同時にその変革や相克から離れた理想(目的）をも内に含もうとした矛盾である。これはおそらく全てのマルクス主義弁証法に共通のことであって、唯物弁証法それ自体の問題点として指摘される必要があるだろうが、それを最も発展させた結果、最も大きく矛盾が現れざるを得なかったということは単なる歴史の皮肉として片づけられるべきではない。

　この矛盾を実践的な問題と関連させて見るならば、理想を抱いて自己目的化された革命に打ち込む運動の先頭に立っている人間は、本来運動の過程で克服されるべき存在なのに（なぜなら、理想に決して近づき得ない運動の中では不可避的に、ただ自らが先頭に立つということだけが指向される筈だからである）決して理想に近づいて行かないということのために、（というのは、実践の目的は自己克服であるのに、その自己克服それ自体は没価値的であるからだ。そこで、人々は観念的・空想的に実践と理想や目的とを結合しなければならない。それは本来宗教の役目であったのだが…）絶えず運動の先頭を切り続けなければならないことになる。

　そして如何に毛沢東が否定しようとも、運動体も運動体として維持し続ける爲にはそれなりの秩序と統一を与えなければならないのであり、かくて、自らが否定した秩序の頂点に自らを据えねばならないということになる。

　つまり、毛沢東が彼の立場に立って、自らの思想に忠実に実践活動を展開しようとすれば、自らが作り上げた秩序を絶えず崩し続けねばならない（しかも、最高の秩序である自らの位置には手をつけないで）という根本的なディレンマに陥らざるを得ないのである。

※量⇅質の転化や発展を想定するのは実践的価値判断※

　さてところで、弁証法（といってもマルクス流の実践弁証法においてだが）における重要な問題の一つである〝量的変化から質的変化へ〟の問題に関して述べるときが来た。

　これは〝発展〟、〝進化〟の問題と絡んで極めて重要な哲学的課題の一つである。

　まず最初に確認しておくべきことは、明らかなことではあるが、〝量〟自体も〝質〟の内容をなしており部分的質とも言うべきものであるということ、それと関連して差異性としての質は、すでに〝量〟の内容としての具体性であり、量は質を通してはじめて量たりうるということである。

例えば、「水」は普通にはいくら量を変じても質的には何の変化も生じないとみられるが、それは「水」を化学的組成や形状変化の観点から見ようとするからである。だが、「水」を「水」たらしめているのは何をそのような規定性だけではなく、人間の生活への不可欠な生活資料という性質をもっているのである。この面から見るならば、「水」はその量が、変じるに応じて明らかに質的な変化を惹き起こす。

コップ一杯の水は飲料用、ひげそり用にふさわしいという性質を持つが、洗面器やバケツ一杯の水は洗面用、掃除用にふさわしく、風呂桶一杯の水は風呂用であり、プール一杯の水は水泳用にふさわしい。確かにプールの水は飲料用になり、洗濯・掃除用にもなり、風呂用にもなるが、それにしても風呂桶相当の水やコップ一杯の水を以ってしては如何に思案しても人を泳がすことはできないのである。従って、量的差異性は、人間の生活との関係で明らかに質的区別を惹起することは事実である。

また、今度は逆の場合、つまり質的差異性が量を構成するその内容であるという意味を説明しよう。

「水」を取り上げよう。「水」は均質であって質的差異性などは持たないと考えられる。だがそれは正しくない。何故ならば「水」が「水」としての質を構成し得るためには、当然のことながら量として存在しなければならないであろう。そして量はこの場合不可避的に空間の中に位置を占めなければならず、そのことは何を意味するかといえば、「水」の分子が各々化学的には等質で質的区別がないように見えるが、空間的な位置を異にするという意味に於いて質的差異を構成しているのであり、それ故にこそ量の具体的内容たりうるのである。

また、別の例をあげるならば、ここに様々な部分からなる総合としての万年筆がある。それは一つの総合として「一」という量を構成しているが、これは万年筆の実用性とその形状等から成る質が他の諸々の存在との間に「一」と「他」との区別を与えたが故であり、質こそが量の内容であることの説明である。そして、今もしこの万年筆を部品に分解してみよう。すると万年筆という実用的な統一は崩れて、個々ばらばらの小さな物の集合体になる。そして、その集合体の量（この場合は〝数〟）を規定しているのは、明らかに個々の小さな部品相互の間にある質的な差異性である。

このように、量と質とは互いに規定し合いながら、存在を統一的に規定しているのであるが、マルクス主義のよる唯物弁証法においては、それらをすべて量的変化→質的変化へという流れの中に単純化してしまうのである。つまり、この見方の中には、新しい質の発見によって量自体が影響を受けて、従来の量的規定性を無意味にするということの可能性が初めから考えに入っていないのである。このことは、自然の中に新しい質を発見することによって人間の利用可能なエネルギーを飛躍的に増大させることができたという過去の歴史的発展の事実とも矛盾するものである。石炭をただの岩石とみなしていた時は、熱量的には〝0〟であったものが、それを石炭として見出したとたんに莫大な熱量に転化し得たのである。

唯物弁証法は、量的変化→質的変化を固定した一般法則にするだけではなく、更にそれを「古いもの」と新しいものとの間の闘争において新しいものが勝利する過程で、どちらかの要素が主要なものとなっているか、またはなったか」というごく抽象的で一般的な表現として固定化してしまうのである。確かに、〝古いもの〟と〝新しいもの〟を自由自在に規定することによってあらゆる現象とその変化の過程を上のように一般化することができるかもしれないが、その一般論に果たしてどんな意味があるのか。単に「歴史は動いてゆくものであり、絶えず新しいものだ」と述べているにすぎないのであろう。それは実践的には確かに真実であり、永遠の真理でもあると述べてもよいが、また何という空しい真理であることか。

確かに現在の秩序を破壊・克服するという革命の正統性を支えてくれることはあるかも知れないが、それ自体の中には、人間の行為を支える何の実践的な価値も理想も目的も含まれてはいない。そして、悪いことには、マルクス主義者は決してそのことに気が付いていないことだ。

人間の意識の本性である自己否定的直接性にただただ駆り立てられているにすぎない人間存在を、無能にもただそのまま肯定しているにすぎない。そのような無能な自己肯定に満足できるのは、マルクス主義者が信仰の対象として共産主義社会像を胸に抱いているからに他ならない。

さて、ところで、今までの議論は全ての概念が量と質の規定性を同時に、また共に保持しうるものだという前提に立って述べてきたのだが、果たしてそれは事実であろうか。

つまり、「情熱」とか「平和」とか、「友愛」とかの観念には果たして、質的規定性とともに、量的規定性があるのかどうかということである。それらの観念には質的規定性があることは確かである。それらは全て皆、形にとってみることの出来ない抽象的観念である。そしてそれはすべての人間と人間との関係、もしくは人間が他の対象をとの間に持つ精神的あるいは社会的関係を述べるものであり、実践との関連の深さにおいて互いに微妙な相違がある、などという複雑な質的規定性を持っている。だが、それらの観念には量的な規定性があるといえるだろうか。

「情熱」にも程度があるし、「平和」にも様々な段階があり「友愛」もそうであろう。その意味では量的規定性が完全に無いとは言えないことになるが、冷静によく考えて見るならば、それらの量的規定性はすでに質的規定性の重要な一部を成しているということができよう。なぜならば、「平和」とか「情熱」とか「友愛」とかを規定するに当たって、それらの強度や、程度がどれほどであるかということは、すぐさまそれらの観念の内容に影響するからである。つまり、人は「平和」とか「情熱」とかという言葉によって実に多様で複雑な内容を考えることができるからである。

このように、これらの抽象的で超越的な観念の場合には、具体的な個物に与えられた観念における質と量の対抗関係とは違って、より完全に統一された形の質的規定性の中にそれらが溶解してしまっているということができるのだろう。

ところが、唯物弁証法における〝古いものと新しいものとの闘争〟及び〝量的変化から質的変化へ〟の議論においては、これらの区別がなされているようには到底思えないのである。

例えば、封建制から資本主義への移行は、封建制内部からの自己否定の増大という量的変化が、社会全体をやがて質的に変化させることになったのだが、資本主義から社会主義への移行は必ずしも異質な階級の量的増大によって直接的に導びかれるというよりは、まず何よりも資本主義の孕む矛盾の意識的な克服という面を持つ。言いかえると、封建制の中から生まれたブルジョアジーは、生産力の増大という外的な（というのは、封建的な社会関係において、つまり封建制にとって必然的ではないから（生産力の発展が））歴史的条件によって生まれた文字通り〝新しいもの〟であって、封建貴族との関係は歴史的、時代的な〝対立関係〟であったのに対して、資本主義社会に於けるブルジョアジーとプロレタリアートは互いに自らの存在を相手に負いながら（資本主義生産関係という同一性の中にありながら）しかも対立しあっているという〝矛盾関係〟にある。つまり、マルクス主義でよく語られ、今や常識と化している「ブルジョアジーとプロレタリアートにおいては、ブルジョアジーが〝古いもの〟でプロレタリアートは未来を切り開く〝新しいもの〟である。」という規定は、矛盾というもののなんたるかを知らない全くの誤謬である。勿論、それらの二大階級は、支配―被支配の関係にあることは明らかであって、その意味では被支配階級が支配階級に対抗して、変革を目指すということは当然のことであり、実践的にはその主張の意味を理解することは難しくないのだが、ともかく論理的には全く初歩的と言っていいほどの誤りである。

プロレタリアートは、ブルジョアジーと全く同じに資本主義の始まりに等しい古さをもち、ブルジョアジーに対して何らの論理的新しさをもっているものではないのだ。ところが、プロレタリアート、ブルジョアジーに対して明らかに〝新しいもの〟とされて疑われないのは、時代の流れはいつでも社会的・政治的秩序の変革として動いてきたのであり、その意味では、資本主義社会が変化するとしたら、それは明らかにこの社会の支配―被支配関係の崩壊を意味するであろう。そしてその時代にまず崩れ去るのは、権力を掌握しているブルジョアジーの独裁的な地位である。その意味では、確かに、ブルジョアジーは〝古いもの〟であることには違いないが、ブルジョアジーが崩壊した後に権力の座に座るプロレタリアートはそれがプロレタリアートである限りは何ら〝新しいもの〟ではないのだ。つまり、プロレタリアートが権力奪取する爲には、論理的にはプロレタリアートであることを自ら拒否すること。ブルジョアジー対プロレタリアートという対抗関係から脱出することによってしかなし得ない筈である。そして自らが新たな支配者となり、追放されたブルジョアジーが占めていた位置に自らを据え付けることによって、プロレタリアートとの間に全く新しい対抗関係をつくり出すことになる。そして権力の中枢をこれらの新しい人種が占めることによって、ブルジョアジー対プロレタリアートの対抗関係から成る社会機構は大きくその性質を変えるのである。

この新しい人種とは、かの、革命の前衛といわれるいわゆる職業革命家の群像であり、直接的で露骨なブルジョアジーとプロレタリアートの対抗関係からみれば、極めて異質な微温的で間接的な対抗関係を持っているにすぎない新しい階層、いわゆるホワイトカラーとか中間階級とか呼ばれる階層の一部（反体制的な改革派）である。

　過去の如何なる権力移行も、職業的専門家を必要としたが、多くは職業軍人としての武士階級がそれを司どった。近代になっての例えばフランス革命あたりでは革命の指導者は職業革命家といえる程の自覚的なものではなかった。だが、現代の社会主義革命はそれらの場合とは違って、明らかに自覚的に組織された職業革命家の集団が不可欠のものである。

　それはとりもなおさず、先程から述べているような近代ブルジョア革命と現代社会主義革命との本質的な違いに由来するものである。つまり、ブルジョア革命においては、自らの成長それ自体が古くからの制度やそれに依拠する階級との対立関係を深化せざるを得ない本質的に新しい階級（ブルジョアジー）によって指導されたものに対して、社会主義革命は何よりもまず権力闘争であって、抑圧されている多数者からの少数の脱出者が、抑圧されている階級の団結力を背景に少数の抑圧から権力を奪取するという革命であるからだ。このプロレタリアートのうちの突出部は確かに〝新しい〟と言えるのだが、それはブルジョア革命期の生産力の増大という制度にとっての外的な力によって、否応なしに必然的に生み出された歴史的現実としての新しさではなく、制度にすでに内在的に存在する矛盾の現実を自覚し、自らはその矛盾を孕んだ生産関係の外に立ち、外部から意志的に経済の自動性に働きかけようとする新しさである。

　つまり、前者においては歴史的現実を跡づけすることがそのまま〝新しさ〟であったのに対し、後者の〝新しさ〟は現実そのものを否定することにある。

　その意味で、我々の為さんとしている革命は本質的な革命であり、内面的で先進的な革命であり、意識の革命としての全体性と恒久性をもつものである。

　また、そのことは、激情と欲望のいわば本能的な衝突としての革命の否定であり、自覚的で冷静な自己克服としての静かなる不断革命の開始を意味するということもできる。

六　矛盾における敵対の地位

同　79頁

　矛盾の闘争性の問題には、敵対とは何かという問題が含まれている。われわれは、敵対とは、矛盾の闘争の一つの形式であって、矛盾の闘争の普遍的な形式ではない、と答える。

　人類の歴史には、階級的な敵対が存在する。これは矛盾の闘争の特殊な表れである。

中略

同　80頁

　爆弾がまだ爆発ないときは、矛盾物が一定の条件によって、一つの統一体の中に共存しているときである。新しい条件（発火）が出現するにいたって、はじめて爆発が起こる。自然界にみられる、最後的には、公然たる衝突の形式をとって、古い矛盾を解決し、新しい事物を生み出すすべての現象には、みな、これと似たような状況がある。

　このような状況を認識することは、きわめて重要である。これによって、われわれは、階級社会では、革命と革命戦争が避けられないものであり、それなしには、社会発展の飛躍を達成することもできず、反動的な支配階級を覆して人民が政権を取ることもできないことを理解するのである。

中略

　しかし、われわれは、矛盾の闘争の様々な状況を具体的に研究しなければならないし、右に述べた公式を、不適当に、すべての事物の上に当てはめてはならない。矛盾と闘争は普遍的であり、絶対的であるが、矛盾を解決する方法、すなわち闘争の形式は、矛盾の性質のちがいによって異なってくる。

同　81頁

　一部の矛盾は公然たる敵対的性質をおびているが、他の一部の矛盾はそうではない。事物の具体的な発展にもとづいて、一部の矛盾はもと非敵対的であったものから敵対的なものに発展し、または一部の矛盾はもと敵対的であったものから非敵対的なものに発展する。

中略

同　82頁

レーニンはいっている。「敵対と矛盾とは、はっきり違う。社会主義の下では、敵対応はなくなるが、矛盾は存続する。」この意味は、敵対が矛盾の闘争のひとつの形式であって、すべての形式ではないから、この公式をどこにでも当てはめてはならない、ということである。

☆　☆　☆　☆

この章で毛沢東が使っている「敵対」という観念ほど非論理的でいいかげんな言葉はない。明らかにここでは、概念弁証法における矛盾の論理的な展開からは最も遠く離れている。実践的な用語であることを認めるにしても、極めて恣意的で政治的な用語である。

マルクス主義革命は、先にも述べたごとく、優れて内面的で全体的な革命であるはずなのに、革命戦争が革命にとって絶対的な条件であるかのように述べられていることも、もう一度疑ってみてもよいと思う。

進歩とか発展と変化の違い。更には自由と抑圧、対立と和解、階級と集団、自己克服と教育、などの問題について全体的な検討をしてみる必要があると思われる。

※概念弁証法と実践弁証法※

―「敵対」と「矛盾」という概念の同一性と差異性―

言うまでもなく、「敵対」という概念は、概念弁証法における「矛盾」という概念の実践弁証法上の用語であって、実践弁証法では矛盾という概念上、論理上の統一をいくつかに分けているのである。

従って、それは論理的には何らの区別の必然性もなく、客観的に確定された区別の基準はもとより無い。

「敵対」という概念は、その意味では、むしろ、「矛盾」という概念よりは「対立」という概念に近いというべきであろう。そして「対立」は「対峙」に始まる。

AとBが対峙しているという場合、AとBという区別があり、それがある同一な空間なり場なり状況の中にあるということを意味している。そしてAとBは矛盾しているという場合は、この「対峙」の特殊な場合であって、ABは互いの中に自らの存在根拠を負っており、さらにそれらを含む統一の中で不可欠の要素を為している。それに対して、「対峙」の場合は、そのような結合の論理的必然性は何ら持たない。A軍とB軍が対峙しているという場合、一見「矛盾」と似た同一性の中にあるように思えるが、A軍はB軍とではなく、C軍やD軍とも「対峙」できる。つまり、ここでもやはり、A軍とB軍が「対峙」しなければならない論理的必然性は何もないのである。

これの違いは、言いかえると「1＋1＝2」と「1と1がある」ということの違いともいえる。

1＋1＝2においては初めの1と二番目の1との間には、1としての同一性があると同時に、2との関係において初めの1は後の1の存在に依存しながらそれの根拠にもなっている。つまり、この1同士は2という統一の中で矛盾しているのである。

それに対して、2という概念を見出し得ない段階での「1と1がある」という言い方は1という個別性の中に意識が止まっているだけであって〝2〟という統一を眺める視点がない。だから、1同士の同一性と差異性は緊密な隔合の中にあるのではない。

初めの〝1〟と後の〝1〟は論理的には必ずしも同一性があるわけではなく、継起的、偶然的、に存在として立ち現われたにすぎない。だから、時間の流れの中で恣意的、偶然的に消え去る可能性をも持っている。

A軍とB軍が「対峙」しているということについ

て更に述べてみよう。
「A軍とB軍の戦闘」という状況の中では、A軍とB軍は「対峙」から「敵対」に移り、概念弁証法的に表現するならば、A軍とB軍は敵味方の矛盾関係にあるといえよう。何故ならば、ここでは一般的で抽象的な戦闘ではなくて、個別的で具体的なA軍とB軍の戦闘としてあらわれており、A軍とB軍はこの具体的な戦闘の不可欠の構成要素である。従って、戦闘の続く限り、A軍もB軍も全く同じようなやり方で相手と敵対し続けなければならず、A軍が戦闘をやめても、B軍が戦闘をやめてもこのA軍とB軍の戦闘という同一性は破壊されるのである。つまり、A軍とB軍は具体的な敵味方として矛盾関係にあるといえよう。

それでは、A軍が存在し、B軍が存在する、という単純な「対峙」関係から上に述べたような「矛盾」関係を発生させるものは何であろうか。

それは、実践によって「対峙」関係にあるものの中に「矛盾」関係にあるものを持ち込んだからだといえよう。その「矛盾」関係にあるものとは、「攻撃」と「反撃」の統一から成る戦闘である。

実践弁証法に於いては、いつでも「攻撃」が状況を切り拓くのではあるが、それは「防御」という消極的な反抗にせよ、「反撃」という積極的な反抗にせよ、強圧に対する反抗の存在によってはじめて「攻撃」たりうる。はじめから、反抗をあきらめた存在に対する「攻撃」などは形容矛盾と言うべきであろう。即ち、時間的には明らかに「攻撃」が状況（戦闘という）を展開する初めの契機ではあるが、それは予め、それに続いて起きるに違いない「反撃」を予想しているという意味に於いて、論理的には同等の資格を持った矛盾概念であるといえよう。

軍という概念は、この戦闘（攻撃—反撃）という概念を実践的可能性として予測した集団であると想定することができよう。そして集団であるからには現実には如何ようにも区別することができる、恣意的な分割可能性を持った概念であるといえるであろう。だから、A軍とB軍はただ並存するだけでは如何なる関係をも生じていないとみられて仕方ないのである。

ただ、もとより、論理的な可能性としては、Ａ軍とＢ軍は互いに敵味方に分かれて対立する可能性を孕んでいるのであるが、それが現実のものとなるのは戦闘の開始という実践的な契機によってである。

人間とか、社会とか、国家とか、階級とかいう抽象的な概念も、ただそれだけでは矛盾を中に孕んでいるかどうかはわからない。それらの概念が単なる抽象的な同一性の中に止まらずに自らの中に区別と差異を見出し、対立や矛盾を孕んだ同一性として内容豊かにしていくためには、それぞれの概念をより具体的に検討して、新しい概念を見出し、それらの相互の関連を追及しなければならないであろう。

というより、むしろ、それらの抽象的な統一性を持った概念は、その発生起源にさかのぼるならば、全ては人間の感性的実践の中に現れてくる現実的で実践的な様々の感性的・直接的区別や差異性の反省と対象化作用、つまりは概念的な比較検討の中から生まれ出てきたものなのである。ある同一性として見いだされたものなのである。

従って、一見極めて抽象的な人間とか社会などという概念の中には、それを見出した現実的な人間の直接的な経験や体験の豊富な背景が存在するはずなのである。従って、人間という抽象的な概念の中には、個々人の人間としての全体験の豊かさが潜在的には含まれているのであり、その人間としての体験の中にある全ての対立や矛盾を孕んでいるのである。その対立や矛盾が表現されないのは、ただ、それらの対象化と概念化を怠っているからにすぎない。体験とか経験とかいう言葉は、ここでは、自己の中に蓄積された意識―存在の対抗関係の歴史そのものとしての人間自身のことを指していることは言うまでもない。従って、概念化されていると否を問わず、体験や経験が矛盾や対立を孕んでいるとすれば、それは人間の意識―存在それ自体がそれらの根拠であることは明らかであろう。

即ち、一切の矛盾や対立の根源は、意識―存在の矛盾に満ちた対抗関係にあるのである。

ところで、存在の中には概念化された存在と存在それ自体がある。そして意識の定義は存在を存在として把握する能力（直観と概念化の両方を含む）と、その能力が存在する（つまり、自らであると確信する）とする能力である。

「意識」と「存在」という二つの概念は、ともに自らの存在を他方の概念の存在に依拠している。その意味では矛盾概念であるようにも思えるが、単純な概念弁証法における矛盾概念と同じではないのは、「意識」も「存在」も時間という流れの中で相互に浸透しあいながら絶えずその内容を豊かにしてゆくという現実的・実践的な働きがあるからである。

「意識」と「存在」の矛盾・対抗関係に現実的内容を与えるこの働きは、「運動」であって、「運動」を通してはじめて「意識」と「存在」は現実の矛盾・対抗関係の展開の中に置かれる。いわば「運動」とは、「意識」と「存在」の矛盾を、生きた矛盾として展開させ続ける力であるといえるだろう。別の言い方がするならば、「運動」という概念は、「意識」や「存在」という概念とは異次元のものであって、いわば「意識」は「存在」という矛盾の現実的な統一と見ることができる。従って、「意識」と「存在」の現実的な矛盾のうちに、自から現れている同一性こそが、この「運動」という概念である。それは、「意識」を「意識」たらしめ、「存在」を「存在」たらしめる生きた根拠である。

それでは、これらのことを少し詳しく述べてみよう。一言で言えば、「意識」とは「存在」を「存在」とみなすことのできる「存在」であるといえるだろう。この「存在」という概念のうち、第一の「存在」は、カントの物自体という概念に近いものであって、マルクス主義哲学でいえば、「意識」によって反映される以前の自律的な存在としての「存在」である。カントはこの第一の「存在」が完全には把握できないことをひどく気にしていたわけであるが、それは彼が「意識」と「存在」の対抗関係を、現実的・実践的な関係とは見ずに、抽象的・観念的な関係として眺めるに止まったからである。そのような見方に止まる限り、確かにこの第一の「存在」が把握しえないことが極めて重大な難点になるであろう。しかし、「存在」をそれ自体として解き明かそうというかかる観念的な試みは必然的に破たんせざるを得ないのであって、それは「存在」というものが現実的な「運動」として「意識」との現実的・実践的な対抗関係の中にしかあらわれることができないようなものであるからである。

それでは、第二の「存在」とは何であろうか。それは「意識」との関連において、他の何よりも確かな現実的な「存在」それ自体を指す。いわゆる常識が在るとみなすことのできるほとんど全ての「存在」を含んでいる。だが、この「存在」は、最も現実的であるが故に、最も恣意的で移ろい易い、様々な問題を孕んだ「存在」であるといえるだろう。

何よりもこの「存在」は意識に映し出された対象もしくは像としてもっとも直接的で現実的な存在である。そしてそれが更に反省されて概念に高まるのであるが、現実の「存在」とはこれら様々の「存在」の総体からなる。そして、最も重要なことは、この第二の「存在」は没価値的・羅列的に存在するのではなくて、「意識」―「存在」の対抗関係が現実的な運動として、新たな「意識」―「存在」の対抗関係を生み出す価値的な実践として、はじめて現実的な存在たり得るということである。

感覚や感性が反省的理性としての認識にまで高まることを説明するのは、論理的にはできないのではあるまいか。意識の対象化作用が意識によって説明できないように…。

それは有機体の歴史的な変化の結果として、与えられたものとして、認める以外にはないのであろう。感覚（触覚、嗅覚、味覚、聴覚、視覚）の対象が、まず何よりも現実的な「存在」である。この時、生命体としての内的な欲求に促されて、（それらは感情・情動・情念などという）各々独特の形で生命体の内部に取り入れられたり、拒否されたりする。そしてこの生命体としての内的欲求、いわゆる感情とか内部感覚（飢え、渇き、性欲）と先の直接

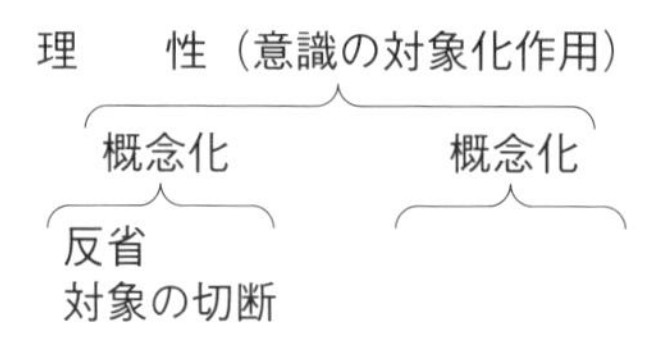

感性
- 感覚（視覚、聴覚、嗅、触、味）　記憶（像その他）――言葉
- 内部感覚（飢え、乾き、性格）　記憶（像その他）――言葉
- 感情（情動、情念）　記憶（像その他）――言葉

意識（第一の意識 =感性）

感情が感性の基底。実践の契機

意識―存在。意識の対象としての存在

意識の対象化作用（第二の意識=理性 ）

対象の感性からも切断、反省、概念化

意識という存在。概念という存在

意識の対象化作用という存在

的な感覚とを合わせて、いわゆる感性というのであるが、この感性こそは意識の直接的な段階であって、意識―存在の第一の統一である。

意識―存在の間の矛盾は、実践の中にその根をもつ。何故ならば、実践こそが意識―存在の統一であり、更にはそれを無限に展開させる契機であるからである。

さて、実践が始元であるとすれば、それはどのような意味においてか⁉そもそも、始元という言葉が適当なのであろうか⁉

この始元とは確かに論理的・観念的な意味での始元ではるまい。論理や観念の始元はそれこそ論理必然的に、論理や観念でなければならないからだ。それでは実践とは何なのであろうか。実践とは、有機体としての生命の躍動する秩序、運動という概念の特殊な形態と呼ぶことができるのであろう。だが、「運動」という概念それ自体が概念である以上、概念規定する力、いわゆる意識を前提にしなければなるまい。

実践とは、おそらく、意識―存在の対抗関係を不断に対象化し続ける働きとしての意識―存在の現実的な運動それ自体を指すのであろう。

＊　＊　＊　＊

◎形式論理上の矛盾　表・裏、上・下、左・右
◎ヘーゲル弁証法の矛盾　有―無―成
◎唯物弁証法の矛盾　ブルジョアジーとプロレタリアート、（＋と－）
◎毛沢東「矛盾論」の矛盾　帝国主義と中国人民。人民内部の矛盾

これらの矛盾概念の違いははっきりさせておかねばならない。

そして最も重要なことは、これらの矛盾が実践的な意味や価値と如何に結びつくかということである。実践の中にすでに矛盾が含まれており、それは不可避的に認めざるを得ないという一面があるが、ブルジョアジーとプロレタリアートの対立ということを詳細に検討してみる必要があるようだ。

実践（感性的直接性としての概念の克服）が全ての矛盾の始元として、超越的な力を持っている。だが、そこには必然的に論理の持つ、（抽象的ではあるが）客観的な確立性というものがない。

マルクスは、ブルジョアジーとプロレタリアートの対立という形で現実的・実践的であると同時に、論理的でもある矛盾を見出したが、毛沢東においてはそれが逆に現実的な有効性として働かなかったという面があった。爲に、彼は弁証法の適用範囲を拡大しなければならなかったのだが、そのことによって、マルクス主義それ自体のもつ観念性と実践性との矛盾を拡大して露呈せざるを得なくなったのであろう。

何故観念的なのかといえば、最も根本的な変革を目指しているからといえるが、それは同時に不断に生み出される直接性という最も生々しい現実を通してしか実現できない現実的・政治的な変革を目指しているからである。

ブルジョアジーとプロレタリアートが何故世界史

的な矛盾であるかといえば、支配―被支配という普遍的な観念が、特殊歴史的に規定される概念に対応し得る事態が発生したことによる。

七　結　論

同　82頁

事物の矛盾の法則、すなわち対立物の統一の法則は、自然および社会の根本法則であり、したがって思考の根本法則でもある。

中略

同　83頁

矛盾の闘争は絶えることがなく、それらが共存しているときでも、あるいは、転化しあうときでも、つねに闘争は存在する。とくに、それらがたがいに転化しあうときには、闘争はさらにいちじるしくあらわれる。これがまた矛盾の普遍性と絶対性である。われわれが矛盾の特殊性と相対性とを研究する際には、諸矛盾及び矛盾の諸側面のうち、主要なものと主要でないものとのちがいに注意しなければならない。われわれが矛盾の普遍性と闘争性を研究する際には、矛盾のさまざまの異なった闘争形式のちがいに注意しなければならない。そうでないと、われわれは、誤りをおかすであろう。

☆　☆　☆　☆

一般に、マルクス主義の最新の、従って最も進んだ哲学的成果と言われる毛沢東の「矛盾論」には、それ以前の唯物弁証法には明瞭に述べられていない、その意味で新しいといえるいくつかの重要な思想がある。

それは、毛沢東と中国共産党が、それまでのマルクス主義思想と運動の全体をもってしても、自らの置かれた状況を必ずしも明らかにし得ず、社会主義革命を目指す実践的な方針も見出し得ないという、まったく新しい歴史的環境に置かれていたことに由来すると思われる。

それはともかくとして、毛沢東「矛盾論」の著しい特徴をあげるならば、次の諸点になるだろう。

一つは、マルクス・エンゲルス・レーニンなどが考察した矛盾概念に比べて、毛沢東のそれはひどく適用範囲を拡大しており、そのために「矛盾論」全体がひどく混乱して分かりにくくなっているということである。

二つには、唯物弁証法の核心である矛盾の問題を、極めて実践的な問題、つまり現実の政治状況や階級闘争などの関連の中で叙述した爲に、認識実践の方法たる唯物弁証法と、その現実的な応用としての実践的価値的判断（規定）との間に大きな分裂を生じさせざるを得なかったことである。つまり客観的な真理としての唯物弁証法の没価値性と、実践的な矛盾の規定の主観性とが奇妙な対照として読む者に映じてくるという次第である。

そして三つ目は、マルクス主義における共通といえるかもしれないが、矛盾という概念、いわゆる対立物の統一の理解において闘争の面を強調するという一面性が毛沢東においてはきわめて、著しいということであり、これと矛盾の特殊性論と結びつくと永遠の革命が自己目的化されることになる。

それでは、今述べた毛沢東の「矛盾論」の特徴のそれぞれについて、順次批判的に検討してみよう。

まず、第一点、毛沢東の「矛盾」概念のあいまいさ、ないしは適用範囲の拡大という点について、彼は従来論理学的な、もしくはヘーゲル弁証法的な概念で考えられてきた矛盾概念に新たに彼独特の概念を「矛盾」の名に於いて追加したということができる。

言うまでもなく、論理学的な矛盾とは、空間的な矛盾概念である上下、左右とか数学や自然科学上の矛盾概念である＋・－、×・÷、作用・反作用、化合・分解とか、社会科学上の矛盾概念である勝利・敗北、支配・被支配等々の概念である。

これらの論理学上の矛盾概念は、毛沢東が「もともと矛盾する各側面は、孤立的には存在できないものである。それと対立をなしている矛盾のもう一つの側面が存在しなかったら、それ自身も存在の条件を失ってしまう。」（P71）と述べているような特色を持つ。即ち、これらの矛盾概念は、互いに他方と自らの存在の不可欠の前提とせざるを得ない関係にあるのであって、しかもそれらが統一して、各々を対立する二つの契機として持つ同一性の中に属しているのである。

これらの矛盾こそは典型的な矛盾概念であって、ヘーゲルもマルクスもレーニンも毛沢東も全くその理解において違うところはないのであり、この「矛盾論」においても問題にすべきところはそこにはない。

次に、ヘーゲルの弁証法におけるそしてそれを不注意に受け継いだ唯物弁証法が係る弁証法概念であるが、これは正―反―合の三段階的飛躍を概念の自己連動として展開するヘーゲル弁証法特有の概念であり、いわばその弁証法を展開させる契機としての概念である。マルクス主義の実践弁証法が弁証法を展開させる契機を運動―実践（＝時間性）に置いているのに対し、ヘーゲルの弁証法を展開させる契機は、概念にひそむそれ自体矛盾なのであって、それだけにおいては矛盾こそが確信であって、全てを貫く普遍性であるといえる。ここでは、旧来の形而上学では決して和解できないとみられていた二律背反的な概念を、弁証法的な統一の下にある弁証法的な対立矛盾概念として把握することに成功したのである。いわゆる、有限と無限、絶対と相対、部分と全体、普遍と特殊、等々の概念がそれである。これは毛沢東が「特殊的なものは普遍的なものと結びついており、また、あらゆる事物はその内部に矛盾の特殊性だけでなく矛盾の普遍性をも含み、普遍性は特殊性のうちに存在している」と述べているような関連にある矛盾概念である。（勿論、後に述べるように、ヘーゲル哲学ではそれらの矛盾の相互転化や依存関係が単に観念的な矛盾として捉えられており、マルクス主義におけるように歴史的・時間的なそれとして捉えられていないという違いはあるのだが…）

　更に、三番目の矛盾概念として唯物弁証法における矛盾について見てみよう。

　言うまでもなく、マルクス主義が生まれて以来、現在に至るまでそれが世界史的な思想としての現実的な影響力を失わないのは、マルクスが我々の生きている時代をブルジョアジーとプロレタリアートという二大階級の矛盾、（生産手段の所有者と非所有者の矛盾）、社会的に組織された生産と私的所有の矛盾、資本と労働の矛盾を見出し、それが人間の生活全般に影響を与えるような時代として規定したことによる。そして、この資本主義社会の規定の核心とも言うべき、ブルジョアジーとプロレタリアートは、何よりもまず現実的に対立し敵対しあう社会階級であると同時に、論理的に矛盾しあう二大階級なのである。

　というのは、封建的な社会体制の中からいわば全く偶然的に資本主義的生産が生まれた。（というのは、生産力の発展と資本主義的商品生産の発生は、封建制度における経済にとってはむしろ外的で無関係なことがら、はみ出しものにすぎないからだ。）その当初から、商品生産と商品交換というそれに固有の様式を満足させるためには交換価値を生産することに専念できるブルジョアジーと自らの人間的な価値の全体を商品として交換過程の中に投げ込みつつ人間としての自己を再生産し続けねば生命を維持することのできないプロレタリアートが、共に相手を自己の存在の前提としながら統一的な社会としての資本主義社会に対立しながら共存なければならなかったのである。即ち、マルクスにおける矛盾概念はブルジョアジーとプロレタリアートという二つの概念の説明でも明らかなように、生の生きた人間の日々の再生産される現実的かつ人間的な闘争であり敵対であると同時に、決して解消しえない論理的な矛盾概念でもあるという特色を持つのである。そしてこのことこそが、ヘーゲル弁証法の重要な部分を受け継ぎながらも、矛盾概念の観念性・思弁性を乗り超えて唯物弁証法の矛盾概念が、生き生きと現実の中に生きている実践的で人間的・社会的な有効性をもった概念である所以のものである。

さてところで、それでは、毛沢東はこのマルクス主義的矛盾概念に何を付け加え、どのようにそれを混乱に落とし入れたといえるのであろうか。

まず彼が挙げている矛盾概念の中から、今までに挙げた矛盾概念と違うとみられるものを取り出してみよう。最も分かりやすいと見られるのは、

「党内の異なった思想の対立と闘争とはつねに発生するものである。これは社会の階級的矛盾および新しいものと古いものとの矛盾が党内に反映したものである。もし党内に矛盾と矛盾を解決するための思想闘争とが存在しなければ、党の生命もまたとまってしまう」

あるいは、

「労働者と農民のあいだには、ソヴェトの社会的諸条件のもとでもやはり差異があり、かれらの間の差異は矛盾ではあるが…」

などと述べられる場合の「矛盾」がそれである。

ここでは、矛盾という概念が持つ独自性は完全に失われて、単に対立や区別を表わす概念の一つと見做されているのである。毛沢東が何故このように無雑作に「矛盾」という概念を使うのかについては彼の次の言葉が説明してくれるだろう。曰く、

「叙述の便宜のため、私はここでまず、矛盾の普遍性についてのべ、そのあとで矛盾の特殊性についてのべる。それは、マルクス主義の偉大な創始者及び後継者であるマルクス、エンゲルス、レーニン、スターリンが唯物弁証法的な世界観を発見し、すでに唯物弁証法を人類の歴史の分析や自然の歴史の分析のたくさんの方面に応用し、社会の変革や自然の変革の（例えばソヴェトにおけるように）たくさんの面に応用して、きわめて偉大な成功を収めており、矛盾の普遍性はすでに多くの人によってみとめられているので、この問題は、詳しく述べなくても明らかであるからである。」

確かに、「悟性が主張するような抽象的な二者択一は実際どこにも、天にも地にも、精神界にも自然

界にも存在しない。有るものはすべて具体的なもの、したがって自分自身のうちに区別及び対立を含んだものである。中略　一般に世界を動かしているものは矛盾である。矛盾というものは考えられぬと言うのは笑うべきことである。」（ヘーゲル「小論理学」松村一人訳より）という言葉に代表されるようなヘーゲル弁証法の神髄を受け継いだマルクス主義においては、今さら矛盾の普遍性を証明する必要はないという気持ちもわからぬでもないが、問題はあくまでも論理的な厳密性である。

同じように矛盾の普遍性を語りながらも、マルクス主義の実践弁証法が、ヘーゲルの概念弁証法と決定的に袂を分かつのは、それが現実的な対立や矛盾を概念上の対立や矛盾として対象化し観照するという、思惟の自己充足的な繰り返しが一つの人間的な実践としてヘーゲルの哲学体系それ自体にとっては永遠に外的な運動として止まらざるを得ないという空しさに気がついたためではなかったか。そこで、マルクスは、すべての対象的な存在を存在として把握しながら、しかもそれを主体的に変革し続ける運動としての実践、一切の対象的存在にとっての根拠もしくは始元としての実践的直接性（実存）の立場に立ったのである。そして彼はあらゆる規定から離れた直接性としての人間の立場、当時の最も生々しい人間的な対立・闘争を捉えたのである。ヘーゲルとは違って、マルクスにとって現実的な対立・闘争を捉えることは、その対立を単に概念化し対象化することをではなく、社会的関連の中に置かれた一個市の直接的な人間として生々しい対立の状況に身を置き、闘争の一翼を担うことであった。従って、ヘーゲルの観照哲学に対するマルクスの立場は、実践の立場からする哲学そのものの否定であり、直接性の立場からする概念への無効宣言であった。

とはいっても、マルクス自身ヘーゲルの弁証法から極めて重要な部分を摂取しているのであり、それは弁証法的な矛盾の理解であり〝存在するものは、孤立して存在することはできず、すべて相互に関連し合い、互いに影響し合いながら存在している〟

という関連と相互依存の概念であり、更には、〝観念的でない、すべての現実的な存在は運動の中にあり、互いに依存し合い制約し合いながら不断に変化・発展する〟という永遠の変化と発展の観点、更には、現実的・実践的に倒立させた形での運動と変化の概念の中で生きている。

（了）

時代の病患　孤独

西洋人の孤独者は、世界を呪い世界に反抗し、自らの自我のありったけを出し切って世界に災いをなし、可能なかぎり復讐をすることをまず考えるであろう。それは雄々しく男らしい唯一のやり方のように思える。

東洋の孤独者はむしろ世俗を離れ、山水草木を相手にして自然の懐に抱かれたまま、一切の世俗のことを忘れ去り、自然と没入することをただひたすら心掛けるであろう。それは気楽で清々しいがとても現代人の心をひくとは思われない。現代人ならば、善であろうと悪であろうとそれなりのスタイルがある筈だ。

何故なら、完全・絶対の孤独者は存在しないのであり、如何なる隠棲者も時代の子である。隠棲は自殺と違って自己と世界への完全なる絶望ではない。実存を最後の一線で支える何らかの価値が残されている。そして、その価値は歴史的・社会的に限定されるものである。従って、現代では東洋的孤独者には生きる余地がますます狭くなり、昔なら出家か隠棲をしたであろうような、過敏なアウトサイダーは自殺へと追い込まれていく。(北村)透谷から太宰(治)に至る近代日本文学者の自殺の歴史はその証明であるともいえる。従って現代には、最も弱い型の孤独者(その多くは愛すべき個性なのだが…)は生きられず滅びて、孤独を浸透させる現代文明が必然的に生み出す魂の荒廃は、自己の魂を傷つけた世界と人間への強烈な復讐心に燃えた強烈な攻撃的な孤独者たちが育っている。彼等はもとより罪はあるが(なぜなら復讐という決断は自己の精神との格闘と外界=人間への働き掛けの断念が生むものだから…)、それよりも罪の根源は世界にあり、時代にある。彼等に手を差しのべることがあまりに少ない我々自身の心の狭さにある。憎悪と破壊の哲学はそれを生み出した時代・社会が源なのだ。

編集者あとがき

上村肇が49歳の誕生日に自死してから32年になる。本書は上村肇生誕八〇周年にあたる二〇二〇年秋に上梓する予定であったが、予期せぬコロナ禍騒動に揺さぶられて1年延びてしまった。遺稿集は今回で第3集となるが、本篇では一九七〇年半ばに雑誌『理想』（理想社刊）で懸賞募集されていた哲学論文に応募した後に加筆訂正した原稿を筆頭に彼の思想を読み解くうえで重要な遺稿を集めてみた。

上村肇と哲学

上村肇は大学入学早々一九六〇年の安保闘争のデモに参加し、六月には死亡した樺美智子さんのいた隊列のすぐ近くにいたが、その時はまさか自分が学生運動の先頭に立つことなど及びもつかなかったと回想している。そこにあったのは、まさに「素朴な正義感と情熱の発露にすぎなかった」からだ。

彼が学部へ進んだ頃、将来を考えるにつけ「回答のはっきりしない人生上の迷いを学生運動の場を借りて突破しようと」自治会活動にのめり込む。瞬く間に自治会活動の中心を担うようになり、茅誠司東大総長カン詰め事件（一九六二年）では無期停学処分となってしまう。

しかし活動を始めてから1年後には、運動中心の「無茶苦茶な生活」がたたり体を壊してしまう。しかも当時所属していた党派の分裂を機に学生運動から「脱落」せざるを得なくなる。このときに負った激しい虚脱状態を解消しようと建設現場での肉体労働と酒びたりの生活を半年続けることになる。

自己の学生運動の総括が冷静にできるようになると、どの思想や運動に頼ることなく「自分で自分を納得させるに足る思想と生き方を創り上げる」ことを決意する。誰に頼ることもなく学習を続け、『学』としての哲学ではなく、己が納得できる思想として、近代社会の超克をも含む運動の基礎として自らが思い描く創造的社会実現のための「実践価値創造論」を組み上げて行く。

哲学復興

本稿は、存在の根本的規定性として「現前性」を定義しながら、デカルトから始まる近代哲学の批判的総括を展開する流れである。

実は雑誌『理想』に応募した折にコピー原稿を読ませてもらったが、佳作として取り上げられることは困難ではないかと感じていた。それは、その原稿の質ではなく、政治性である。本書を読んでいただければ、すぐにわかっていただけると思うが、『哲学』を標榜する雑誌は、純然たる哲学の論考を求めており、政治的姿勢の表明は決して好まれない。もう少し気を利かせて、余分な表現を抑えて純然たる近代哲学批判を展開していればと、残念に思う。しかし、前述したように上村肇にとって哲学は、学問としての研究対象では決してなかったのである。

信仰の構造

上村は言う、「かくて、私は、自分の心の奥深い処で感じていたマルクス主義への反発が、どうやら、その革命論とユートピア論の乖離にあると気付いたのである。そうなると、それまで『民衆の阿片である』というマルクスの言葉によって意識の外に追いやられていた仏陀やキリストの世界観=価値論に引っ張られることになった。そして、それ以後、今に至るまで《歴史と宗教の総合》としての人類共同体の存在構造と実現過程は如何にあるべきか、ということが私自身の思想的課題の中心に位置している。」

冒頭信仰の論理構造を明らかにしながら、論理と信仰の関係を述べている。

次にマルティン・ルターの「キリスト者の自由」に関する論考を取り上げ、キリスト教を論じている。

毛沢東『矛盾論』読書ノート

この論考は、一九六七年に有志で立ち上げた「未明の会」の中の『中国問題研究会』で発表するために書かれたものである。少し長いが、本人の言葉を再度引用する。

「マルクスの歴史弁証法を展開させる動力が『(階級)闘争』であることがもたらす矛盾がある。つまり、闘争がマルクス弁証法を展開する普遍的契機である以上、革命後の社会建設の過程においても、たえず何が革命であるか真理であるかをめぐって二元的対立は残存し続ける可能性があり、資本主義社会の変革が単に次の矛盾を用意することでしかないという蓋然性がある。これはいわば、「革命の絶対化」であり、具体的な実践的価値としての役割の喪失を意味している。毛沢東に指導された中国革命、とりわけ文化大革命はその生きた証拠であったといえる。」

ここに掲載する毛沢東『矛盾論』批評は、彼が認めた一九六〇年代半ばの時代に注目せざるを得ない。当時の日本の論客たちのうち、社会主義そのものを認めない論客を除き、毛沢東の思想をここまで徹底して論理的に批評し、批判したのがあったろうか。当時これを仮に発表していても、恐らくどちらからも相手にされず、教条的な批判をうけていたに違いない。その意味で歴史的に貴重な論考だと言えるだろう。


註)*引用は、すべて「学生運動、移動大学、沖縄そして今」(一九七九年十月二日記)より

最後に本書出版に当たり、前社長同様今回も尽力していただいた島津書房社長村瀬三四郎氏に感謝を申し上げる。表紙のデザインは、著者とも沖縄を軸に深いつながりのある建築家の井上凱彦氏にご協力いただいた。昨今上村肇追悼『みろく会』の主要メンバーが次々鬼籍に入り、会の維持ができなくなったので、今回の出版には上村肇とも交流があり、彼の生き方を敬愛して止まなかった故斎藤召二氏の遺した「斎藤召二基金」【仮名】の一部を共同管理者である千川明氏の了解の下、出版資金に充てさせていただくことになった。故人の遺志を尊重していただいたご遺族に感謝申し上げる次第である。

ら行

た行

な行

は行

ま行

や行

用語索引

人名索引

あ行

か行

さ行

た行

な行

は行

ま行

ら行

著者略歴

上村肇（かみむらはじめ）

1940 年東京出身。東京大学経済学部卒。国語塾主催。

学生時代に自治会活動に専念。途中体を壊して活動から身を引く。独りで東西の哲学と「格闘」し、人類の類的解放は「創造的社会」にあるとして、「創造的社会論」の執筆に専念（草稿多数）。日本進学教室や移動大学（故川喜田二郎氏主催）を経て 1980 年から国語塾を主催。『世界戦争か世界統一か』（自費出版）を上梓（1984 年）するも、1989 年自らの誕生日に命を絶つ。享年 49 歳。

上村肇遺稿集　3

哲学の復興

——創造的社会論のための哲学序説——

二〇二一年十月一四日　発行

著者　上村　肇

編集責任　湯浅　克己

URL: http://creative-society.cocoon.jp/cs/

印刷・製本　モリモト印刷株式会社

発行所　株式会社 島津書房

〒三五〇-〇四六四

埼玉県入間郡毛呂山町南台三-十四-十七

電話　〇四九-二七六-六七〇〇

URL：https://www.shimazu-shobo.jp/

ISBN 978-4-88218-178-1 C0010